KB054657

티베트 의학의 세계

山本哲士 著
方　　埥 譯

明文堂

체르 뉸 (히말라야포피)

소루 세루

랑 나

토오릴 젤포

체

메도 캉그라

도루카 박사와 메도 캉그라

텐진 조다구 박사

달라이 라마 법왕과 저자

쓰오도유 제조 과정

금속계를 태우는 모습

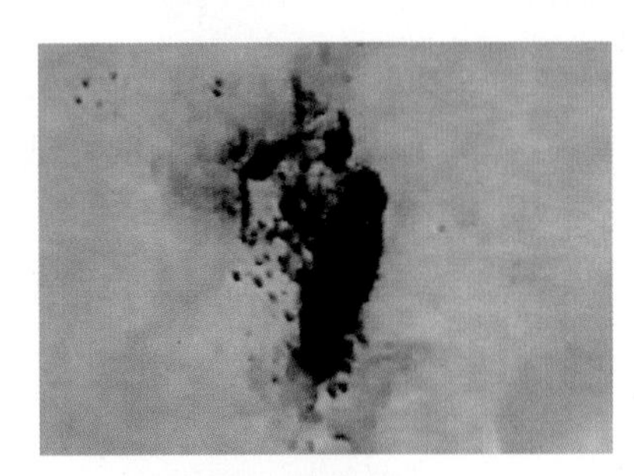

소작(燒灼 : 전기나 약품으로 끓여서 파괴시킴)된 수은(水銀)

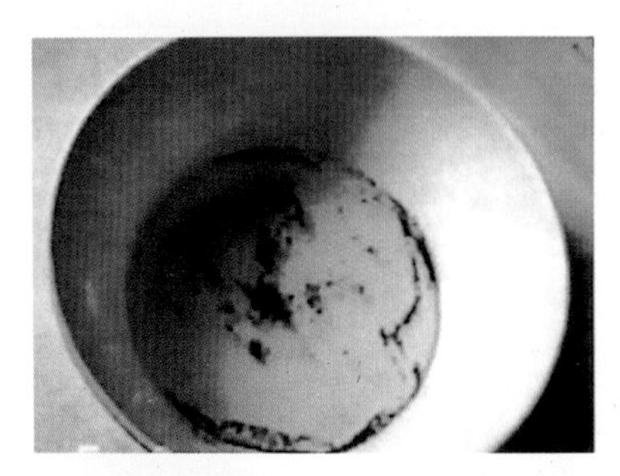

물에 가라앉지 않는 것이 조건이다

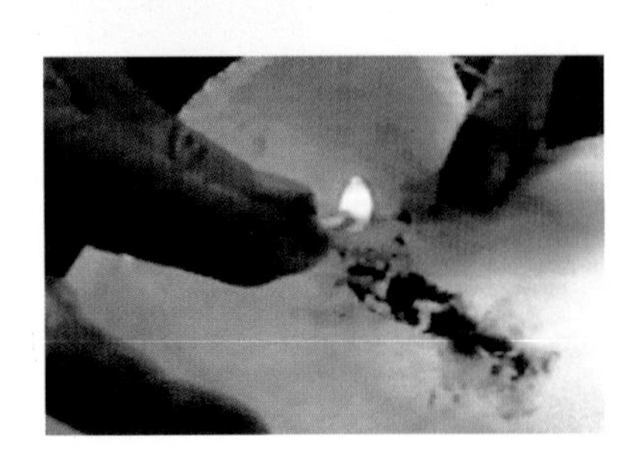

쓰오도유를 기본제로 한 귀한 약 3종

THE DALAI LAMA

༄༅། །ཉི་ཧོང་སྐད་པ་ཡ་མ་མོ་ཧོ་ཐེ་ཤི་ནས་ལྷག་བསམ་དང་དོན་གཉེར་ཆེན་པོས་བོད་དོན་བདེན་པའི་གནས་ཚུལ་རྣམས་ཡོངས་ཁྱབ་ངོ་སྤྲོད་བྱ་སླད་ཉི་ཧོང་སྐད་དུ་བོད་ཀྱི་ཙ་དོན་གྱི་ངོ་བོ་དང་། སྒྲུབ་བྱེད་ཐབས་ལམ། དེ་བཞིན་བོད་ཀྱི་ནང་པའི་ཆོས་བརྒྱུད་དང་། གསོ་བ་རིག་པའི་གཞུང་ལུགས་བཅས་ཀྱི་སྐོར་ལ་དཔེ་དེབ་ཅིག་རྩོམ་སྒྲིག་ཁྱབ་སྤེལ་བྱ་རྒྱུ་ཡིན་འདུག་པར་ངོས་ནས་དགའ་བསུ་དང་བསྔགས་བརྗོད་ཡོད།

དེང་སྐབས་བོད་དོན་བདེན་པའི་གནས་ཚུལ་གྱི་འགྱུར་འགྲོས་ཕྱོགས་གང་ས་ནས་ཧ་བཟང་དུ་འགྲོ་བཞིན་ཡོད་ཅིང་། དེ་ནི་གཙོ་བོ་བོད་རྒྱ་ཆེའི་མི་མང་གི་ལྷག་ཏུ་མེད་པའི་སེམས་ཤུགས་དང་། འཛམ་གླིང་ཁྱོན་ཡོངས་སུ་གནས་པའི་བོད་ཀྱི་གྲོགས་པོ་རྣམས་ཀྱིས་བདེན་དཔང་རྒྱབ་སྐྱོར་གྱི་ནུས་ཤུགས་ལ་བརྟེན་ནས་བྱུང་བ་ཞིག་ཡིན། ངོས་ནས་རྟག་ཏུ་བརྗོད་མུས་ལྟར་བོད་དོན་བདེན་པའི་ཙ་དོན་གྱི་སྒྲུབ་བྱེད་ཐབས་ལམ་གཅིག་པུ་དེ་འཚེ་མེད་ཞི་བའི་ལམ་བཟང་ཡིན་པ་དང་། ཐབས་ཚུལ་དེའི་སྒོ་ནས་མཐར་ཐུག་གི་དམིགས་དོན་རྒྱལ་ཁ་སོན་ཐུབ་པར་ཡིད་ཆེས་བརྟན་པོ་ཡོད།

བོད་ཀྱི་ཐུང་མ་ཡིན་པའི་གནའ་བོའི་ཤེས་རིག་ནང་པའི་ཆོས་བརྒྱུད་དང་། གསོ་བ་རིག་པའི་གཞུང་ལུགས་གཉིས་ནི་དེང་གི་དུས་སུ་རང་བཞིན་འབྱུང་བའི་ཁོར་ཡུག་རྙོག་འཁྲུག་ཏུ་ཅང་ཆེས་སྐྱོན་ལས་བྱུང་བའི་ལུས་སེམས་ཀྱི་ནད་རིགས་དང་། སྡུག་བསྔལ་རྣམས་སེལ་འགོག་ཐུབ་ཅིང་འཛམ་གླིང་སྤྱིའི་ཕན་བདེར་སྐྱན་ངེས་ཀྱི་ཁྱད་ནོར་གཉིས་ཡིན། འགྲོ་ཀུན་རྟག་ཏུ་ཕན་བདེས་འཚོ་བའི་སྨོན་པ་བཅས། འཕགས་ཡུལ་ཧི་རམ་ས་ལ་ཐེག་ཆེན་ཆོས་གླིང་ནས། ཏཱ་ལའི་བླ་མས། ཕྱི་ལོ་ ༡༩༩༠ ཟླ་ ༧ ཚེས་ ༢༧ ལ།

서문(序文)

일본인 의사 야마모토(山本) 선생이 청정심과 열의를 가지고 진지하게 티베트의 진실을 일본어로 널리 보급 전도하기 위해서, 또한 금일에 있어서 티베트의 본질인 독립을 달성하는 방법으로 더 나아가서는 티베트 불교와 의학에 관해서도 일가견의 저서를 만들어서 올리게 된 것을 진심으로 환영하면서 칭찬을 하고자 하는 바입니다.

최근에서야 겨우 티베트에 관한 진상이 넓게 관심을 끌기 시작, 상황이 호전되어가고 있는 실정입니다. 그 최대의 주안점(主眼點)은 역시 '티베트' 자신의 단결과 국제적으로 많은 친구들의 진실된 증인으로서 협력을 아끼지 않고 있다는 점입니다. 법왕(法王)인 나 자신도 항상 호소하고 있는 것처럼 티베트의 근본적 독립문제를 해결할 수 있는 방법이란 무저항주의(無抵抗主義)야말로 최선의 길이라고 항상 굳게 믿고 있는 바입니다.

최종적으로 이러한 방법만이 티베트인의 소망이 달성되리라고 믿어 의심치 않습니다. 예부터의 티베트의 문화로서 불교와 의학이라는 두 학문에는 최근 지구촌의 광범위한 자연파괴로 인한 인류의 정신과 신체의 제질병과 중생들의 고뇌(苦惱)를 구제할 힘을 가지고 있다는 것입니다.

이러한 것은 곧 나아가서는 전 인류의 영원한 평화를 달성하는 데도 귀중한 힘이 되리라 믿는 바입니다.

모든 생존하는 유정(有情)에게 평화로운 생존이 이루어지기를 기원(祈願)하면서……

인도국 다람살라에서
대치엔 치에린 큰절에서
티벳 법왕 달라이 라마
1990년 7월 20일

* 서문은 티베트어와 영문, 두가지를 받았다. 이것은 원어(原語)인 티베트어에서 번역한 것이다. 그러므로서 영문하고는 뜻이 다르기도 하다. 원어인 티베트문에서는 법왕은 도장을 찍게 되었으며, 영문의 경우에는 싸인을 하게 되어 있다.

서문의 원문 번역은 일본 오다니(大谷)대학 조교수인 쓰루대무께가 번역하였다.

THE DALAI LAMA

PREFACE

This book by Dr. Tetsushi Yamamoto, a dedicated friend and champion of Tibet and its culture, provides an introduction to the general situation of Tibet and her struggle for freedom, as well as the Tibetan traditions of Buddhism and medicine.

Lately, the cause of Tibet has entered a hopeful new phase, because of the indomitable courage of the Tibetan people and the sympathetic support of the many friends around the world. This gives us encouragement reason to believe that ultimately truth and justice will prevail.

In exile we have tried to preserve and propagate Tibetan traditions and culture, including Tibetan Buddhism and medicine. I believe Tibetan Buddhism and medical system particularly may have some timely contributions to make in restoring the health of mind and body, which the thoughtless exploitation of human and environmental resources have given rise to.

I am confident that Dr. Yamamoto's book will be of interest to its readers. I appreciate his effort in furthering the cause of Tibet.

저자의 말

저자는 지금 집필하면서 잠시 창밖을 바라보니 북쪽에는 비량연봉(比良連峰)이 백설을 안고 늘어서 있는 아름다운 설경이 눈에 들어온다. 저자의 별장에서 북방으로 약 20리를 가면 안담천정(安曇川町)이라고 하는 곳이 있다. 견전촌(堅田村)과 더불어 역사적으로 오래된 곳이다. 거기서 보이는 비량산계(比良山系)는 서쪽에 위치하고 있다.

이 동네에 서본원사대본산(西本願寺大本山) 말사인 정복사(正福寺)라는 사찰이 있으니 명치 19년 청목문(青木文) 교사(教師)는 바로 여기서 태어났다. 경도(京都)의 불교대학 재학중 서본원사의 법주(法主), 오다니고스이(大谷光瑞)에게 발탁되어 다전등관(多田等觀)과도 거의 같은 연대인 1911년에 티베트로 들어갔다.

그는 티베트 수도인 라사의 승원에 주석하면서 티베트 불교를 연구하면서 항간(俗世)에 들어가 티베트인의 사회상과 풍속, 관습 등, 그리고 종교신앙에 관해서 그들의 생활 전반을 알아볼 수 있는 기회를 가졌다. 4년 간의 연구생활을 마치고 쓴 책이 있으니 《티베트 고대연대기(古代年代記)의 연구》라는 저서를 발표하였다.

구미 학회에도 큰 영향력을 주었으며 당시 일본 국내에서도 극소수였던 티베트계의 권위있는 한 학자로서 동경대학의 교수로도 초대받은 바 있다.

제2차 세계대전 후에는 달라이 라마 14세 법왕의 형과도 친교가 있었다. 그러다가 70세로 타계하였다. 바로 《서장유기(西藏遊記)》는 그의 저서이다. 1920년에 출판되었다.

저자는 바로 그의 저서인 《서장유기》를 통해서 티베트 문화와 나라 사정 등을 알게 되었다. 그것은 1934년의 일이다. 만일 나는 이러한 만남이 없었더라면 지금도 티베트에 대한 무관심이 계속되었을 것이 뻔하다.

그런 지 40년이 흘렀다. 나는 그때부터 티베트 문화권의 각 지역을 답사하기 시작한 것이다. 즉 티베트 본토, 부탄 등의 탐사도 싫다 아니하고 나섰으며 남인도 등지로 망명한 티베트 사원 등을 순방하면서 특히 인도에 있는 규메 밀교대학은 7회나 방문한 바 있다.

특히 흥미를 가진 분야는 티베트 후기 밀교 의식에 관한 책에 있는 만다라 본존 그림에는 압도당하는 강렬한 인상을 받았다.

그러던 중 학문사(學問寺)에 계시는 께레 학장 등을 일본으로 초대하여 시륜(時輪-가라차가라)과 대일여래의 사(砂)만다라 본존을 일본에서 처음 공개하게 되었으니 1987년 9월에 있었던 일이다.

나는 그러한 가라차가라의 체계 중에 의학적 요소가 포함되어 있음을 알고 관심을 가졌다. 이것이 동기가 되어 티베트 망명정부가 있는 인도 다람살라로 발을 향했다. 그곳에는 티베트의학·약학의 축을 이루는 메디컬센터가 있었다. 1987년부터 8년 동안 여러 차례 방문하게 되었다. 법왕의 주치인 텐진 조다구 박사를 위시해서 왕겔 박사 등 기타 티베트의학계의 여러 의사들로부터 티베트의학에 관한 가르침을 받게 되었다.

기타 티베트 불교에 대한 서적이나 다른 참고가 될 양서들도 많이 발견되었다. 그러나 티베트 의서는 대부분 구미, 중국, 러시아에서 간행된 역서(譯書)로 전통 의학을 연구하는 데는 큰 도움이 되지 못했다. 티베트 메디컬센터의 의사들은 그 번역서들의 내용이 잘못된 것이 많다는 점을 지적해 주었다.

조다구 박사는 저자의 목적을 이해하고 하나하나 자료를 제시해가며 상세히 가르쳐주셨다. 8년 간이나 계속 제공해 주셔서 많은 도움과 공부가 가능했다는 사실을 여기서 피력하고 싶다. 그러나 오늘 본인은 저서를 통해서 자료의 3분의 1도 독자들에게 소개하지 못함을 유감으로 생각한다.

나의 저서가 티베트의학과 약학적인 저서로서는 미흡한 점이 아직 많다는 것을 시인한다. 다시 한번 기회가 있으면 티베트의학의 개념이라는 책을 저술하고 싶다.

나는 중국계(한방), 인도계, 그리고 아랍계의 의학까지 비교연구를 하게 되었다. 1995년에는 인도 뉴델리에 있는 유나니 연구센터, 제약소, 대학 등을 방문하였다. 나의 연구가 미숙하다는 것을 나는 잘 알고 있다. 그래서 더욱 계속적으로 연구에 임하려고 한다.

한방계 의학 가문에서 태어난 저자는 집에서 많은 의서를 본 기억이 난다. 그 중 귀중한 자료는 일본의 명의이고 학자였던 분이 쓴 《진맥구전집(診脈口傳集)》이라는 책이 기억난다. 이 저서는 28쪽의 짧은 고전 의서인데 주로 '한방맥진법'의 요지를 간략하게 소개한 책이다.

저자는 서양의학에 겨우 눈을 뜬 이후부터 티베트의학이나 중국의학 쪽으로 눈을 돌리게 되었다. 거기서 나는 유사성을 발견하자 흥미를 가지기 시작하였다. 그리하여 현대의학과 아시아 동양권에 있는 나라 등의 의학을 비교 연구하는 과정에서 다른 점을 발견하고 놀란 것이다. 어느 의학이든 목적은 생명체의 보존과 건강 확보, 육체와 정신적 질환을 치유하는 것으로 다같은 목표임이 틀림없다.

그러나 현대의학계에는 많은 문제가 있다. 그것은 비양심적인 의료 행정, 의료 계통에서 종사하는 사람들의 사고방식이나 인간성 문제 등이다. 즉 인간을 인간으로 보지 않고 오히려 물건으로 보고 다루는 경향은 이해하기 힘들다.

생명의 존엄성이니 인간성이니 하고 곧잘 부르짖으면서도 실천이 안되고 있는 반면에 아세아권의 나라와 그들의 의학은 근본 이념부터가 다른 것 같다. 즉 아세아권 의학은 우선 대자연의 섭리와 법칙 원리에 입각하여 의료 활동을 인술로써 전개해 나가고 있는 점이 근본적으로 다르다는 점을 역설하고자 한다.

본문은 그러한 관점에서 티베트의학의 일단을 서술하였다. 차원의 높고 낮음은 문제가 아니다.

그러한 점을 감안하여 금번 저자의 저서를 간행한 동기라고 보아 주신다면 고맙겠다. 이번 출판을 도와주신 모든 분들께 사의를 표한다.

역자(譯者) 서문

1997년 9월 23일 북인도 다람살라에 주석(住錫)하고 계시는 달라이라마 법왕을 예방(禮防)했을 때 시치의(侍治醫 : 醫王)인 텐진 조다구 박사를 소개받았다. 조다구 박사로부터 진맥(診脈)을 받고 나서 티베트의학의 오묘함을 알게 된 것이 동기(動機)가 되어 티베트의학의 대가(大家)이신 일본인 야마모토(山本) 박사와 짧은 기간 서신(書信)과 전화 교류가 있었다.

야마모토 박사는 일본 경도(京都) 태생으로 1961년에 경도부립(府立) 의과대학을 졸업한 양의학(洋醫學) 박사인데 인도·네팔·티베트의 산중 임야를 두루 다니면서 다년 간 히말라야산의 신비한 식물(약초)을 연구한 티베트의학의 발견, 개척자이기도 하다.

흥미가 있어 그의 저서인 《티베트의학의 세계》를 읽고 한국어로 번역 후 출판을 하고 싶어서 번역본(사본) 1부(部)를 야마모토 박사에게 발송하고서 출판 가부를 물었다. 쾌히 승낙하시며 정치적 내용은 생략하고 티베트의학에 관해서만 소개하라는 말씀이 있으셔서 용기를 얻어 명문당 김동구(金東求) 사장님께서 어려운 환경임에도 불구하고 이번에 한국판(韓國版)으로 간행하게 되었다.

이 책 《티베트의학의 세계》는 티베트 불교와도 관련이 있으며, 티베트 고유의 문화 전반에 걸쳐서도 언급이 있고, 숨어 있는 티베트의 신비와 생활, 그리고 종교와 의학의 밀접한 상관관계를 흥미진진하게 있는 사실 그대로 묘사했다. 또한 티베트의 역사와 독립의 필요성도 역설하고 있음을 발견할 수 있는 특수한 역사기록의 저서이기도 하다.

티베트의학에서는 주로 히말라야산에서 자라고 있는 약초와 꽃, 그리고 뿌리(根莖), 더 나아가서는 광석(鑛石) 성분으로까지 약품을 만들고 있다. 야마모토 박사는 이러한 자연식물이 말세(末世)에 가서는 인류공해병을 치유할 수 있다는 것을 연구 발명하신 분이다.

2007년 11월 중순, 역자는 다람살라에 있는 야마모토 박사의 의료센터를 방문하고, 뉴델리에 있는 조다구 박사의 제자인 여의(女醫 : DR/MRS. Pema Yangchen, 인도 뉴델리 티베트메디컬, Tel : 91-119899608537)를 찾아가서 진맥 및 여러 가지 티베트약을 가져와 현재 복용하고 있다.

독자 여러분, 불교인 혹은 무종교인까지 인도주의(人道主義) 차원에서 특히 티베트의학에 관심 있으신 분에게 많은 참고와 도움이 다소나마 되리라고 믿는다.

2008년 2월

번역자 **방육** 스님

(MONK : BANGYOOK)

PS : 《티베트의학의 세계》 한국어 번역판을 야마모토 박사의 영전에 바치며 그의 명복을 기원하는 바이다.

차 례

제 1 장

의성(醫聖) 조다구 박사

1. 체포(逮捕)

수직(垂直)에 가까운 포탈라궁전(宮殿) 벽에는 여러 명의 중공군 병사들이 기어올라오고 있었다. 바야흐로 티베트의 국보적 상징(象徵)이라 할 수 있는 포탈라궁전의 화려한 성벽이 중공군 병사들의 군화에 유린당하는 순간이다.

궁전 계단 아래에 있는 성문은 굳건히 잠겨져 있었으며 출입이 엄중히 금지되어 있었다. 군인들이 야포로 공격하기에는 어려운 궁전 건물은 아니지만 중공군은 연일 수도인 라마시에만 포격을 가하면서도 궁전만은 공격하지 않으며 보호하는 듯한 인상을 주었다. 시민들은 완전히 무방비 상태여서 싸울 만한 병기나 전투장비란 전혀 가지고 있지 않았다.

한편 공격을 가하고 있는 중공군 입장에서는 전투가 아니라 마치 아기의 손을 어른이 비트는 정도의 침략행위였다. 포탈라궁을 향해 공격을 피하는 것은 파괴하지 말고 안전하게 보호하라는 북경 정부의 사전 지령에 의한 점령정책으로 보아야 될 것이다.

포탈라궁

그것은 히말라야 산속에 높이 솟아 있는 포탈라궁이 중공군에게 있어서는 장래 대단히 이용가치가 있는 귀중한 재산이기에 손을 대지 않았던 것이다.

그들은 특수부대로 편성된 병사들이었다. 당시의 전투사령관을 30년 후에 저자와 우연히 일본 경도 호텔에서 다시 만날 기회가 있었는데 그는 당시를 회상하기를, 신중한 작전계획을 가지고 임했다면서 궁전 침입 성공을 자랑삼아 늘어놓았다. 정교한 작전을 가지고 일체의 파손을 피하고 궁전 침입에 성공한 것이다.

그는 또한 자랑으로 말하기를, 만약에 있을지도 모르는 티베트의 반동분자들이 포탈라궁을 파괴시킬 가능성을 미연에 방지하게 된 것이 바로 특수부대의 작전이었음을 늘어놓기도 했다.

사령관의 말만으로는 그것이 바로 중공군이 티베트 문화를 지극히 보호한다는 인상을 주는 것으로 들릴지 몰라도 실은 그것

간덴사(파괴 후 30년, 일부 재건)

이 아니라 기타의 많은 티베트 안에 있는 큰 사원에 대해서는 무차별공격을 가함으로써 저항할 힘이 없는 수백의 승려들을 사살하며 사원 건물에도 무자비한 포격과 가해를 가한 것도 그들이었다.

그것은 바로 모택동(毛澤東)의 훈령이었던 것이다. 종교를 부정하는 그들로서는 불교사원이란 무용지물이었기 때문이다. 승려집단과 티베트 양민들을 세뇌시켜서 그들 한민족(漢民族)에게 예속시켜서 부려먹을 사전의 개조계획(改造計劃)이 착착 진행되어가고 있었던 것이다. 그것은 소위 사회주의(社會主義)라는 이념과는 전혀 무관한 것으로서 말하자면 무자비한 침략행위의 일단이었다.

모택동과 중공지도층 간부들로서는 포탈라궁의 존재는 매력있는 최대의 건축물이었던 것이다. 포탈라궁에는 수많은 고가의 금은 등의 보석이 주체로 된 예술가치가 최고 수준인 보물들이 산적되어 있음을 알고 있었던 그들로서는 예술적 수준과 보물적 가치를, 즉 티베트 국민의 정신문화를 그대로 손에 넣어 버리겠다는 야심이 있어서 파괴 행위를 자제한 것이다.

1959년 3월 18일 티베트의 실질적인 주권자이고 법왕(法王)인 텐진 갸초 달라이 라마 14세는 극비리에 인도(印度)를 향해 탈출, 피난이라는 고난의 여행이 시작되었던 것이다. 그 당시 4명의 달라이 라마의 주치의(侍醫))가 있었는데 그 중 한 사람인 텐진 조다구 주치의는 그 당시 법왕의 탈출에서 빠지게 되어 수행하지 못했다.

그는 법왕 가족의 주택이었던 야부시라는 저택에 숨어 있었다. 중공군들은 야포 공격을 가하면서 저항을 포기하고 있는 비전투원인 라사 시민들을 공포 분위기로 몰아넣으면서 수도인 라사를 완전 제압하였다.

야부시 저택이란 법왕 일가족이 사용하고 있던 저택으로 법왕의 어머니와 형제, 자매들이 피신하고 있었던 집이기도 하다. 당시 법왕은 약관 20세의 청년이었다. 법왕의 측근들이 티베트의 전통적 종교행사나 정치행정을 지휘하고 있었으며 그들은 수개월 연속적으로 중공군 최고 지휘관들과 평화적 외교접촉을 시도해 왔었다.

예부터 티베트란 한자로는 서장국(西藏國), 즉 서방에 있는 창고에 많은 보물이 쌓여 있다는 뜻이 있어서 언젠가는 그러한 티베트를 중공 손 안에(영토로) 넣어버리자는 주장이 있었던 것으로 전해졌다.

무기도 없는 무방비 상태의 티베트 지도자들은 독립국임을 그들 중공군 지휘관들에게 인식시키는 정치외교를 하면서 그들의 통치협상에 끌려가고 있었다. 군사력을 가지지 못한 티베트인들의 비극적 분위기는 모택동이 1949년 10월 1일 중화인민공화국을 건설, 국가 주석으로 등극할 때부터 이미 시작되었다.

1911년 당시 청조군(淸朝軍)을 격퇴시킨 달라이 라마 13세는 티베트가 완전 독립국가임을 국내외에 선포하고 30년 가까운 세월이 흘러온 것이다. 13세가 입적하고 나서, 즉 관세음보살(觀世音菩薩)의 전생자(轉生者)로서 지금의 14세인 텐진 갸초 달라이 라마가 법왕으로서 사자(獅子)의 법좌에 앉은 것이 1940년, 5세 때였다.

전 법왕 13세는 영명(英明)한 분이었다. 그의 후계자가 된 14세는 티베트 동북 지방인 다굿세루(靑海省) 지방에서 탐색 끝에 찾아내었다. 여기의 주인공인 조다구 주치의(侍醫)는 3년 여를 법왕과 그의 가족들의 주치의로서 치유 봉사를 해왔기 때문에 법왕의 부모, 가족들과는 극히 친밀한 사이였다.

법왕이 탈출하였던 3월 18일(1959년) 경에 야부시 저택에는 법왕 가족의 반수 이상이 그대로 남아 있었다. 조다구 주치의는 중공군 지배하에서 신분의 보장과 장래가 어떻게 전개될런지 전혀 예측할 수 없는 불안함 속에서 라사 시내는 연일 무차별한 포격이 계속되었다.

차크포리 언덕에 있는 티베트 의학교(1646년에 개설, 현재 중국이 파괴했다)

라사는 중공군에 의해서 완전 제압당하고 있었다. 감빠족의 난민들이 그들의 지배로부터 벗어나기 위해서 라사 시내로 모여들기 시작했다. 그들이 말하기를, 서민들을 티베트의 귀족과 고승들의 권력과 압정으로부터 자유해방을 시켜주기 위해서라고 전하고 있었다. 그러나 그것은 기만이라는 것을 알기 시작한 것이다. 해방은커녕 잔인한 공산당 지배체제로 짜여진 프로그램 그대로 밀어부치는 것이었다.

판에 박은 그들의 강제적 집단화의 공산주의의 교조에 입각해서 재편성(再編成)을 시작한 것이다. 여기에 추종하지 않는 자는 반동분자(反動分子)로서 체포 숙청되었고, 만일 도주하는 자가 생기면 무조건 뒤에서 난사를 가해, 사살하였다. 이로 인하여 많은 희생자가 속출했다. 이러한 광경을 목격한 주치의 조다구 박사는 더이상 중공군을 신뢰할 수 없다고 생각하기 시작했다.

마침내 3월 10일 라사 시민들이 여기에 저항하는 총궐기를 일으켰다. 법왕의 별궁에서는 티베트의 사회계, 종교계, 의학계 등 각계의 저명 지도급 인사들이 모여서 협의회를 가졌다. 소위 독립선언서(獨立宣言書)를 작성한 것이다. 물론 여기에는 조다구 박사도 서명하였다. 한민족(漢民族)의 지배로부터 벗어나자는 민족자결이라는 정신적 발로였다.

후일에 이러한 독립선언 문서가 중공군에 의해 발견되어, 많은 티베트 애국자들이 20여년에 걸쳐 가혹한 옥살이와 중노동 등의 사역을 당하기도 했다.

1959년이라면 일본에서는 신국민건강법과 국방에서는 차기 전투기에 록히드 기종이 결정되는가 하면, 소련에서는 흐루시초

프 수상(首相)이 우주 로켓 발사를 시도하게 되는 우주시대를 개척하는 시기이기도 했다.

1959년 3월 19일 한밤중에 라사시는 중공군의 포격으로 화염에 둘러싸였고, 조다구 박사도 포성에 놀라 급히 법왕 거처에 달려갔다. 이미 달라이 라마 14세는 궁을 무사히 빠져나간 후라는 사실을 알고서 안도감을 가진다. 법왕은 이미 어젯밤에 탈출한 것을 알게 되었다. 그날로부터 세월이 흘러 21년 후인 1980년 12월에 재상봉을 하게 된다.

포성이 시작된 3월 19일부터 4일이 지난 3월 22일에는 드디어 중공군이 야포 1문을 끌고서 야부시 저택에 도착, 포문을 열었다. 16명의 직계 가족들이 숨을 죽이고 있었는데 적과 협상을 하겠다고 적진에 나간 4명의 대표들이 중공군의 기관총 난사로 땅에 쓰러지는 참상을 빚었다. 순식간에 병사들이 기관총을 난사하며 저택으로 침입하기 시작했다.

창고, 화장실에는 수류탄을, 실내에는 사격을 가하면서 닥치는 대로 파괴의 절정을 이루었다. 저택에 숨어 있던 티베트인들은 체포되어서 전원 다른 곳으로 이송, 감금되었다.

3일 후에는 정식으로 중공군이 세운 지정 형무소에 투옥을 당하기에 이르렀다. 거기에는 벌써 7백명이나 되는 티베트의 저명한 포탈라궁 인사들이 수감되어 있음을 알 수 있었다.

수감자들의 소지품 중 귀중한 물건 등은 모두 중공군에게 몰수당하고, 대신 그들에게는 발목수갑 등으로 결박되었다. 주치의인 조다구 박사의 수갑은 대형으로 채워져 있었다. 그것은 60cm 크기로 끌고 다니기에도 힘이 들었다. 특기할 것은 수용하는 데 있어서, 특히 상류계급의 티베트인들, 고급 관리, 도크다, 승려 그리고 부호 등은 준중이라는 특별 형무소에 투옥시키기도 했다.

중공 진주 군인들은 그들의 세뇌교육 시간표에 준해서 공산당 세뇌교육을 시작한 것이다. '누구 덕택으로 지금껏 살아왔느냐?' '네, 그것은 오로지 인민 농민을 착취하여 지금껏 생존해 왔습니다.'하고 자백을 강요당하는 식이었다. 그뿐 아니라 각자가 8세 때부터의 성장과정을 기억나는 대로 자기반성과 자기비판하는 형식으로 간증을 강요당하기도 했다.

〈마지막 황제〉 영화에 나오는 장면 그대로이다. 이러한 자기반성의 학습이 한 달 이상 되풀이된다. 아닌 것도 그런 것으로 만들어서 넘어가는 공산당의 공식화된 세뇌교육, 바로 그것인 것이다. 즉 공산주의를 주입시키기 위해서 마인드콘트롤을 하는 것이다.

이것이 곧 모택동 노선의 교육방식이다. 이러한 세뇌교육법이 이미 중국 전 국토에서 실시되고 있었으며 국민당의 군인 관료, 자본가들에게 이미 실험이 끝난 것으로 이민족에게는 더욱 엄중하게 다루고 있는 것이었다.

그후 약 2개월이 지나서 5월에 들어서자 법왕인 달라이 라마가 북인도 무스리라는 마을에 무사히 도착하였다는 믿을 만한 뉴스가 전해졌다. 중국 신문에서 누가 보았다고 어느 투옥자가 주치의인 조다구에게 전해주었다.

3월 19일 이후 그는 소식이 궁금해서 하루도 편한 날이 없었다. 이 반가운 소식을 서로 알리고 귀뜸해 준 것은 당연했다.

법왕은 이미 무사히 탈출에 성공, 남은 어려움이란 그들 군인들의 유도 신문에 넘어가지 않고 끝까지 묵비권을 행사할 것, 증인으로 나가더라도 침묵을 지키자는 쪽지가 형무소 안에 돌려지기도 했다. 때문에 이러한 것이 발견되자 주치의가 주범으로 군사재판에 회부되기도 하였다. 반동분자로 몰린 것이다. 대만에 거점을 두고 있는 장개석(蔣介石) 정부군으로부터 지령을 받았다고 의심을 받고 있는 지도자인 갸로도운돕뿌의 지령을 주치의가 받고 있다는 의심을 받기도 했다.

6월로 들어서자 중공의 군사재판(軍事裁判)이 시작되었다. 중공군 장교들이 독방에 들어와 의사를 광장에 강제로 끌어내어 몸을 결박하기 시작했다. 곧 사형이라도 집행하려는 기세였다. 그러나 사형집행이 아니라 구금시켜 놓고 신문이 시작된 것이다. 그는 1938년 17세에 라사시에 있는 의학교에서 12년을 공부한 바 있으나 1932년 이후의 유년 당시 인적 상황을 캐내기 시작한 것이다. 마치 무슨 큰 죄가 있었던 것처럼 파고들었다.

너의 사상은 도대체 무엇이며 어디서 받은 사상이냐는 신문인 것이다. 그리고 너의 부르주아적 사상은 어디서부터 나온 것이냐고…… 그러나 주치의 본인은 전혀 그것이 무슨 뜻인지 답하기 어려운 질문들이었다. 끝내 주치의는 중공군 장교의 신문에 대해서 거의 침묵으로 일관했다.

즉 주치의에게 집요한 신문을 통해서 법왕 달라이 라마의 비리를 캐내려고 하는 의도에서 시작된 것이다. 그것은 그가 수석(首席) 주치의였기 때문에 그를 신문하면 모든 법왕의 근황을 노출시킬 수 있을 것이라는 전재에서 그를 택한 것이다. 즉, 중인으로서의 성공 가치가 절대적으로 유리한 인물이라는 데 초점이 맞춰진 것이다.

야부시 저택을 수시로 출입한 자들의 명단, 그리고 법왕이 때로는 세속인처럼 다른 여성들과 비윤리적 이성관계, 특히 누나(도루마 다구라 여사)와의 성관계가 있었는지 등 강제로 입증(立證)시켜 보려는 협박유도 신문이었다.

누나인 쓰애린 도루마 다구라 여사는 14세 법왕의 친누나로 1959년 3월에 거의 동시에 법왕과 인도 탈출을 감행하였다. 망명 탈출이라는 준엄한 히말라야 설산을 넘어야 하는 고난의 피난길이었다. 해발 5,000m의 빙산을 몇번이나 넘어야 하는 탈출이었다. 1960년 5월 17일 북인도 쟈무라는 동네에서 51명의 티베트 피난민을 인수받으라는 통보가 다람살라에 전해졌다. 그들은 거의 심한 한기에다 아사상태에 빠져 있었다. 오다가 수천명의 티베트 난민들이 고난 속에 희생되기도 했다.

즉 51명의 생존자를 인솔하고 온 단장이 바로 달라이 라마 법왕의 누나 쓰애린 도루마 여사 바로 그녀였던 것이다. 돌아온(다람살라에) 그녀는 아동교육과 복지시설 등에 헌신하다 4년 후인 1964년 비참하게도 죽고 말았다. 아마 심한 고난으로 고생 끝에 피로로 쓰러진 것 같았다.

이러한 고난의 희생자들에 대해서 갖은 중상과 음모, 모략으로 티베트의 정신적 지주인 법왕 달라이 라마를 이간시켜서 완전 모택동 사상으로 귀의시켜 보겠다는 북경정부(北京政府)의 짜여진 각본에다가, 주치의를 증인으로 몰아넣으려는 북경의 음모였던 것이다.

신문대에 올라서 주치의는 말하기를, 본인은 주치의로서 조석으로 정기적 진맥을 보는 것과 티베트의학상식을 알리는 것 말고는 깊게, 가까이하는 일도 없고 중상모략이 될 아무런 내용도 가지고 있지 않은 한의생이라고만 답하였다. 그리고 법왕은 우리 티베트인의 관음보살의 후신으로서 우리 민족의 얼이고 참부모와도 같은 귀한 분에게 거짓을 가지고 입증할 아무런 내용이 없음을 강조하고 하나도 협력을 할 수 없다고 거절하였다.

티베트 법왕의 의사단 중에서 3명의 일행은 이미 교묘한 술책에 중공 쪽으로 넘어가고 말았다. 그들은 적극 협력자로서의 특별대우를 받았다고 한다. 독방살이에서 해방되어 마음껏 자유스러운 생활을 보냈다고 한다.

2. 다무띤(투쟁집회)

다무띤이란 무엇이냐? 이것은 공산당이 적극분자에게 심리를 이용하여 투쟁집회(鬪爭集會)에서 인민재판(人民裁判)으로 끌어가는 것을 말하는 것이다.

어김없이 주치의인 조다구 박사에게도 다무띤 집회 겸 소인민재판이 벌어지게 되었다. 중공군 장교집단으로부터 적극분자(부역자)로서 추앙을 받게 된 티베트의 부역자들을 중심으로 원을 그리는 인민재판이 벌어진 것이다. 같은 티베트인 부역 배반자들로부터 신랄한 질문 공세를 받기에 이른다. 동족끼리 대단히 가슴 아픈 순간이었다. '네가 법왕에 관한 신문에 사실대로 실토하지 않는다면 끝이 좋지 않을 것이다'라는 상투적 협박을 받는다.

달라이 라마 법왕이 그의 친누나하고 불륜관계가 있었다는 것을 억지로 강요당한다. 주위에는 부역 열성분자들이 한패가 되어 강압적으로 자백을 시키는 일종의 고문이었다.

신문자는 큰 소리를 지르면서 법왕 달라이 라마가 친누나하고 성관계가 있었다고 자백하라고 미친듯 공갈 협박을 가하였다. 고문의 고통이 극심하여 주치의는 양팔의 고통으로 참고 견딜 수가 없는 지경에까지 이르렀다.

중공 장교단은 구경만 하면서 적극분자들로 하여금 심문하도록 감시만 하고 눈짓으로 지시하는 식을 취하고 있었다. 동족인 티베트 적극분자들의 모진 고문으로 의사가 기진맥진하는 상태를 목격하고 있던 장교단이 의사가 기절하는 것을 보고 고문을 중지시켰다.

종일토록 안면과 머리, 그리고 신체의 각부에 인정사정없이 구타가 계속되었다. 근육파열로 피가 여기저기서 터져 나왔다. 심한 내출혈(內出血)로 인해서 마비 상태에 빠져 졸도하고 말았다.

다음에는 장교단의 신문이 계속되었다. 무거운 수갑이 팔과 다리에 걸어졌다. 그리고 유도신문으로 들어갔다. 너에게는 아무런 죄를 가하지 않을 것이니 너의 법왕인 달라이 라마가 누나하고 성적 불륜관계가 사실로 있었다는 것만 실토하면 지금부터 우대할 것이며 자유스러운 환경이 부여될 것이라고 유도신문을 퍼부었다.

여기에는 의리도 충성도 없지 않느냐, 잘 생각하라면서 독방

(獨房)으로 일단 처넣었다. 감방은 3㎡로, 어둡고 천장에 작은 공기통과 식사 주는 창, 바닥에는 짚 한아름, 그리고 대소변기가 전부인 암실이었다. 10월까지 4개월 동안을 주치의는 1959년 티베트 민족 궐기의 범죄자로서 낙인찍혀 감방생활을 하게 되었다.

무거운 수갑을 끌고서 창구멍에 가서 식사를 받아오는 것도 힘들 정도의 지경이었다. 중국인 간수가 24시간 창구멍으로 감시하고 있는 순간도 자유시간 없이 감방 안에서도 반성문을 쓰라고 강요를 당했다. 매일 한 번 자신의 변기를 손에 들고 잠시 밖으로 버리러 나가는 것이 유일한 낙이고 자유시간이었다. 밖으로 나간 순간, 힘껏 공기를 들이마시고 숨을 돌리며 창공을 한 번 바라보고 돌아오는 것이 그렇게도 상쾌하고 즐거운 순간이었다.

다무띤이라는 세뇌고문으로 여기저기에 멍이 들고 상처가 났다. 특히 안면의 상처는 쉽사리 회복되지 않았다. 감방 안 돌벽을 대하고 묵상하면서 과거를 회상해 보았다. 살아온 인생사가 주마등처럼 스쳐 지나갔다.

그러나 주치의는 낙심하지도 않고 후회함이 없었다. 주치의는 여기서 오늘 옥사를 한다 해도 원한이 없었다. 그것은 법왕인 달라이 라마께서 무사히 탈출에 성공하셨다는 사실만으로 만족한다. 바라는 것은 옥중에서 그저 더이상의 고통없이 안락사(安樂死)하는 때를 바라는 소망만이 남아 있었다.

법왕 종교행사의 지도자급 고승 나무까야루대사(大寺)의 한 사람이 심한 고문에 견디지 못해 자살했다는 비보가 흘러 들어

왔다. 그는 자살행위가 티베트 불교의 율법(律法)에 위반된다는 것을 잘 알고 있으면서도 자살을 택한 것이다. 고통을 짐작하고도 남을 만하였다.

저자는 1992년 2월에 북인도 다람살라에 있는 메디컬센터를 방문하였을 때 주치의로부터 직접 들었던 사실 내용임을 여기서 밝히는 바이다. 법왕의 주치의 조디구 박사는 라사시에서 승용차로 36시간이나 가는 거리의 야푸치애촌에 있는 롭빠 이찌앤가(家)에서 탄생한 분이다. 1922년에 태어나 반년 후에 어머니는 죽었고, 대신 숙모가 그를 양육하였다.

1932년 그가 10세에 뽀돈파의 니애모쓰대사원에 수행승(修行僧)으로 들어가 6년 간 있었으며, 1938년 그가 17세 때 라사시 포탈라궁 앞에 위치한 티베트 국립의학교에 입학하였다. 1646년에 개설된 학교로서 오랜 역사와 전통을 가진 학교인데, 이것을 중공군이 흔적도 없이 없애버렸다.

그는 학교에서 12년 동안 의학(티베트)을 전공했는데 주로 전통 티베트의학, 약학, 동식물학, 광물학, 약물제조와 조제법 등을 이수했으며, 8년 동안은 히말라야의 산중, 임야 등지에 들어가 약물의 채집(採集), 제조법, 처방 등의 특별 연수도 받았다. 조석으로는 《규씨이》라고 하는 의전(儀典)의 암송과 연구, 주간에는 산야에 들어가 약초를 직접 조사연구하곤 했다.

의학교 재학 학생은 총 70명인데 전원이 이수학과를 완수하기 전까지는 졸업도 안시키며 신입생도 안 뽑는 실질적인 의학공부를 하게 된 것이다.

성적이 우수하였던 그는 학생(의학도) 신분으로 1952년에 달라이 라마 14세 법왕 어머니 수행의생(修行醫生)으로 인도령인 시킴왕국(현재 인도령) 가린봉지역에 주거하면서 그녀의 건강관리, 생활지도 등의 대역을 맡아보기도 했다. 당시 법왕의 어머니는 고혈압 증세가 심해서 건강이 매우 안 좋은 편이었다. 그러나 반년 간의 극진한 조다구 의생의 간호와 치유로 병세가 회복되어 측근 장관과 법왕의 어머니는 무사히 라사에 있는 별궁으로 돌아온 일도 있었다.

그리하여 의학교를 수석으로 졸업하게 되고 1년 후 자기 소속 암자로 돌아온 그는 로-카현 지사의 주치의를 잠시 하다가 다시 법왕 어머니의 주치의로 발탁, 1959년까지 그 임무를 맡아하면서, 35세에 14세 법왕의 시의에 취임하였다. 1956년부터 1959년의 4년 동안 시의 역할을 하였다. 1959년 3월에 달라이 라마 법왕의 인도 피난 탈출로 인하여 법왕과의 인연이 20여년 끊겼던 것이다.

라-맨이라는 법왕 주치의의 명예를 소지하고 있는 조다구 의사의 인적 상황을 간파한 중공군 장교단은 보통 의생이 아니라는 점에서 주요 인물로서 옥중 감시가 누구보다 심하기에 본인 자신도 침묵을 지키면서 언어와 행동을 극히 조심하였다 한다.

그는 그에게 주어진 운명의 고난생활에서 몇번이나 자살하고 싶은 충동을 받곤 했다. 그러나 불타(佛陀)의 말씀이 자살하게 되면 죄가 막중해서 500세 동안의 환생은 불가능하다는 가르침을 상기하면서 그 마음을 자제하고 이겨나갔다. 그리고 얼마나 인생난득(人生難得)인가를 뼈저리게 느끼면서 죽음의 유혹에서 승리하게 된 것이다.

주말이 되면 중공군 두 명이 감방을 찾아와 그를 밖으로 끌고 나가서 중공군 공안장교 앞에서 1주일 간의 자기반성을 강요당하는 생활이 계속되었다. 가끔 총부리와 권총을 들이대고 위협을 가하는 것은 보통이었다.

그의 묵비권 행사에 노한 공안장교는 두 번째 그에게 다무띤이라는 고문을 가하였다. 인정사정없이 군화로 주치의의 머리와 안면 등을 닥치는 대로 걷어차곤 했다. 눈의 심한 상처는 이때 받은 것이다. 지금도 흉터가 남아 있다.

실명하자 다시 감방으로 끌고갔다. 좌측 안구에 큰 충격을 받아 시야에 이상이 온 것을 본인이 느낀 것이다. 이빨도 박살나고 엉망이 된 두 번째의 다무띤 고문, 이러한 상처가 아물기도 전에 제3의 다무띤 고문이 그를 기다리고 있었다. 주말이 되면 이러한 고문 일과가 으레 주기적 행사처럼 진행되었다. 그러나 이러한 공포의 고문이 계속되면 될수록 그의 철권 같은 의지는 더욱 강해지는 것만 같았다.

공안 장교의 혹독한 무자비한 고문에 만신창이 된 그는 점차적으로 자아의식(自我意識)이 상실되어 마비상태가 오는 것을 느끼기 시작했다. 그러면 난데없이 물세례를 받았다. 순간 주치의는 인사불성 상태로 빠져들어갔다. 드디어 중공군 군의(軍醫)가 와서 주치의의 건강을 체크했다. 그는 최후의 위독상태(危篤狀態)라고 진단을 내렸다.

이러한 악조건 하에서도 큰 문제가 생겼으니 그것은 중공군 사령관이 노발대발하기 시작한 것이다. 도대체 그가 누구인데 수용소 안에서 사망하면 누가 처벌을 받는지 아느냐면서 앞으로 더이상의 고문을 피하도록 특별 사령관의 명령이 떨어진 것이다. 사령관은 짧은 성명을 통해서 말하기를 이러한 무지막지한 방법은 근본적으로 중국공산당의 정책이 아니라는 점을 역설하기에 이른다.

그때서야 공안장교들은 책임 추궁과 처벌에 겁을 먹고 상호비판하라고 경고를 주었다. 소위 중공군의 모택동 사상이라는 것이, 즉 이러한 음험한 모순을 항상 지니고 있는 것이다. 이후부터는 다시 그러한 잔인한 다무띤이라는 고문은 그에게는 영원히 찾아오지 않았다.

전술한 바와 같이 이미 텐진 조다구 주치의라는 인물은 중공군에 있어서 중요한 인물로서 평가받고 있는 차원으로, 상부에서는 경솔하며 잔인한 처벌은 적극 피하도록 지령이 내린 인물이었다. 즉 죽여서는 안되는 인물로 간주, 인정을 받고 있었다는 것이다.

1959년 10월 15일은 티베트인에 대한 정책의 새로운 방안이 결정된 날이기도 하다. 체포되어서 수감중인 700명에 달하는 티베트인들을 광장에 모아놓고는 더 좋은 환경인 중국 본토로 이송한다는 군부의 발표가 있었다.

목적은 더 좋은 환경과 상급학습을 위해서 중국 본토로 이송하는 것이라고 발표되었다. 특히 구미가 당기는 것은 식량사정도 좋고 생활필수품도 충분하게 준비가 갖추어진 환경이 될 것이라는 발표였다. 교도소 안에 있던 700명 가운데 4명은 석방되었고, 21명을 수력발전소로, 76명은 중국 본토로 이송된다는 소식이었다.

그후 2주일이 지난 10월 29일 아침, 조다구 주치의는 자신도 그 중의 한 사람으로 명단에 끼어 있음을 알게 되었다. 근본적으로 사람을 다루는 데 법적인 교도소 판결도 없이 다루는 군사재판 직결처분인 것이다. 어디로 끌려가 사살을 당할지 암매장을 당할지 암담한 상황인 것이다.

10월 30일 아침에 처음으로 수갑이 풀어지고 75명 일행은 노루부링카라는 곳으로 이송되어 이틀을 보냈다. 75명 거의가 티베트 상류급 인사들이었다. 앞날이 불안하기만 했다. 출발 전에 처음으로 가족들의 면회(面會)가 허락되었다. 그것도 창 너머 수분 동안이며 울고 짜는 면회자는 즉각 면회를 중단시키기도 했다.

그러나 모두가 통곡하는 울음바다로 변해버렸다. 면회온 가족들에게는 우리는 영광된 조국으로 더 좋은 환경에 가서 교육받으러 가게 되니까 걱정하지 말라는 군부의 지시가 75명 이송자에게 하달되었다. 갑자기 티베트인의 조국이 중공으로 변하는 순간이었다.

조다구 의사에게도 면회자가 있었다. 도부기앨이라는 큰형인데 그는 시종 울음으로 일관, 대화가 이루어지지 않았다. 형에게 가족들을 부탁하면서 자신의 생존 여부는 전혀 신경 쓰지 말라고 부탁했다. 이 세상에 태어나지 않았던 것으로 자신을 잊어 달라고 형에게 애원했다. 형은 그래도 그 우환중에 주먹밥, 슬리핑백, 모포, 그리고 옷 등 일용 필수품을 가지고 나왔다.

가족들과의 작별은 이렇게 끝나고 이송자들은 2대의 트럭에 나누어 타고 가족들과 눈물의 생이별을 하기에 이르렀다. 가족들이 미친 듯이 울며불며 달리는 군용트럭 뒤를 정신없이 따라오는 모습이 눈에 들어왔다.

이러한 대대적인 강제이송이 많은 티베트 승려를 중심으로 대량 중국 본토 어디론가 수송되어 가고는 했다. 특히 11월 1일에는 군트럭으로 수많은 티베트인들이 중공 땅으로 연행되어 갔다.

이러한 와중에서도 의학계 천재인 텐진 조다구는 의학적 천재성을 발휘하는 무대를 8개월이나 상실하고 있었으나, 항상 그의 머리 한구석에는 의학의 중심 골자를 잊지 않고 연구심을 한시도 쉬지 않았다. 출발 후 11일 만에 청해호(青海湖)에 도착하였다. 다시 열차편으로 동쪽으로 달리다 도착한 곳이 감숙성(甘肅省)의 성도(省都)인 난주(蘭州)라고 하는 곳에 도착됨을 알았다.

그러나 거기서 또다시 군용트럭으로 고비사막에 이어진 텐구리사막을 향했다. 저자도 난주에서 주천(酒泉)을 따라 실크로드의 한 모퉁이인 진포에 간 적이 있는데 불모지대로 이슬람교도들이 약간 살고 있었다.

여기가 종착역인 것 같았다. 바람이 강하고 돌과 모래가 날려서 눈도 뜨기 힘든 완전 황진(黃塵)의 불모지였다. 비도 잘 오지 않으며 초목도 거의 성장하지 않는 광막한 지대가 지평선 멀리까지 전개되는 황무지였다. 여기서 죽으라는 것인지 살라는 것인지 알 수 없는 지경에 도달한 것이다.

이러한 사막에다가 중공은 거대한 포로수용소를 건설한 것이다. 규모는 몇천, 몇만 명까지도 수용할 수 있는 이러한 수용소가 여기에 있다는 것은 외부에 알려질 리가 없었다. (이러한 잔인한 짓들은 스탈린이나 모택동이나 동일한 방법으로 우리 조선족(고려인)들도 지상지옥에서 기적을 일으켜 생존하고 있음을 중공 공산당에서도 같은 지옥사회가 지상에 존재하고 있었음을 입증해 주고 있는 것이다.)

조다구 주치의는 바로 이곳 수용소에 수감되었다. 그가 수용되어 있던 형무소 이름은 중국 발음으로 주춘(酒泉) 노동개조형무소라고 불렸다. 높이가 6m, 두께가 15m나 되는 빨간 벽돌 성벽으로 둘러싸인 800m×300m 면적이었다. 1,700명의 인원을 수용하고 있는 거대한 형무소였다. 수용자들의 성분은 거의가 사회적 지위가 높은 중국인과 위구르족(族)이었다. 의사, 대학교수, 사법관, 행정관 등으로서 그들은 소위 반동분자(反動分子)라고 불리우는 정치범들이었다.

명예로운 사람들이었으며 일반 범죄자들이 아니었다. 도망갈 기회가 주어지지 않은 불모의 땅으로서 도망쳐 보았자 죽음을 초래할 수밖에 없는 악조건의 불모지였다. 티베트의 수많은 정치범들과 함께 티베트의학계의 보배와 같은 존재 역시 이 수용소에 수감되었다. 그후 21년 지나 달라이 라마 법왕 곁으로 돌아갈 때까지 그의 천재적 의학 지식을 활용한 일이 전무하였다.

가족으로부터 전달된 일체의 사입 물건은 모조리 몰수당했다. 그 대신 한 개의 모자, 장갑, 죄수복, 그리고 모포 한 장 등이 지급되었다. 한 침대에 13명이 함께 자야 했다. 서로의 체온으로 몸을 녹이면서 자야만 하는 불기라고는 전혀 없는 음침한 감방으로, 누워 자는 공간은 50cm로 만들어져 있었다.

1956년에 최초로 티베트인이 투옥되어 왔는데 대사원에 주석했던 300명의 승려는 거의 희생되었으며 생존자 2명의 승려가 여기에 와 있었다. 300명의 모든 승려들이 추위와 굶주림으로 죽어간 것이라 한다. 죽은 스님들의 승복을 찢어서 만든 무대의 막에서는 정치 교육극이 상연되었다. 죽은 승려들의 신발도 창고에 산적되어 있었다.

무대막 안에서 죽은 스님들의 애환의 비명 소리가 흘러나오는 것 같았다. 티베트인이라면 누구나가 그러한 느낌을 받았을 것이다. 자신들도 조만간 이러한 비통한 최후의 날이 찾아오리라는 예감에 사로잡히기도 했다.

수용소 안에서는 수감자끼리의 일체의 대화를 금지시켰다. 여기에도 10명꼴로 반장(班長)이 임명되었는데, 비교적 중국 쪽으로 가담되어가는 열성분자가 간수(看守)로 선정되었다. 수용자끼리 서로 감시인이 되는 식으로 반조직이 되어 있어서 이것을 통솔하는 자가 바로 간수들이었다.

여기서의 학습이란 역시 세뇌교육으로 우리들을 착취자로부터 해방시켜 주신 위대한 모택동과 중국인민정부 지도자들에게 감사한다는 식의 학습공부가 되풀이되었다.

이러한 광경을 보는 조다구 주치의는 모택동 어록에 흥미가 있어 공부하는 척, 암송하는 척하고 넘어가곤 했다. 이러한 마음가짐과 그의 태도를 간수들은 눈치 채지 못한 것 같았으니 어록 대신 티베트 불교의 진언을 암송하면서 중요한 티베트 의전 《규씨이》를 항상 암송하고 시간을 보냈다고 한다.

이러한 식의 의학공부와 진언 염불이 다행히 간수들에게는 눈치 채지 못하고 넘어가곤 했다. 저자가 후일 주치의를 만나게 되어 강의를 받을 때도 이와 같이 책을 안보고도 암송으로 의학 강의를 나에게 해주었다.

작업시간은 아침 6시 기상과 점호한 후 전원이 작업장에 나간다. 언제나 수비 군인들의 총구는 일하는 수용인들에게 겨누어져 있었다. 오고가는 행진에는 반드시 혁명의 노래와 군가를 불러야 했다. 밤 10시까지는 정치학습 시간이고 10일 만에 성적이 가장 불량한 한 사람을 택해서 역시 자아비판의 신문을 받게 하였다.

그뿐 아니라 가끔 심심하면 4~5명의 조사관(調査官)이 간수실로 한 사람씩 불러내어 과거지사를 들쳐내어 큰 죄도 아닌 것, 시시한 것을 가지고 시비조로 신문을 하는 그러한 고통도 주었다. 다시 말해서 골을 빼는 행위인 것이다. 양심도, 인정도 없이 들볶는 것이다. 화장실 출입도 완전무장한 군인이 따라가는 정도의 그야말로 공포(恐怖)의 생활이 계속되었다.

설상가상으로 불운하게도 주천 수용소가 있는 이 지대는 3년이나 흉년이 들어서 어려운 상황에 있었다. 수용인들이 땀흘려서 거둔 수확은 전부 간수와 그의 가족들에게 분배되었으며 주둔 중공군 부대로도 반출되기도 했다. 자연 수용인들에게는 차례가 오지 못하는 가련하고 비통(悲痛)한 생활이 계속되었다. 그것도 농사도구도 없는 돌만이 있는 불모지에서 삽자루 하나만 가지고 지어내야 하는 농사 경작이었다.

농작도 자유가 없었고 강압적으로 1인당 연간 15kg의 소맥을 생산해 낼 것을 강요당했다. 불모지에서 농구도 비료도 없이 그것은 꿈같은 이야기였다. 책임량식으로 점수제도를 활용, 점수가 적은 자는 처벌을 받기도 했다. 경작이 우수한 반에는 으레 표상으로 붉은 기(赤旗)를 꽂아 주었다.

저녁 후에는 정기적 야간학습이 있었는데 일본을 포함, 구미 각국의 제국주의에 관한 비판교육, 그리고 중국 본토에 행해진 식민지 정책이 어떠했던가, 거기에 반해서 중화인민들의 조국에 바치는 충성을 미화시키는 것이었다.

특히 티베트에 관해서 비판하기를 법왕 달라이 라마를 주축으로 하는 귀족과 고승들의 지배하에서 노예로서 착취당하다가 해방되어 중국공산당의 위대한 지도자인 모택동 동지의 영도력으로 일어선 중공 인민을 찬양시키는 세뇌 학습교육이었다. 이러한 학습에 자주 사용되는 용어 가운데서 제국주의, 봉건주의 사회, 착취, 지배계급, 자본가, 프롤레타리아, 부르주아 이러한 낯설은 정치용어를 생활학습에서 써 나간다는 것도 쉬운 일이 아니었고 익숙해지는 데는 많은 시간이 요하기도 했다.

이같은 정치학습도 필경에는 수용자들을 완전히 세뇌시켜서 모택동주의라는 종교 아닌 종교로 귀의시키려는 마인드콘트롤에 불과했다.

날이 갈수록 식량사정은 악화되어서 주변에 있는 초근목피(草根木皮)에다가 소맥분을 약간 섞어서 만두를 만들어 먹었다. 이러한 험한 음식 때문에 수용소에는 많은 위장병 환자가 발생하게 되었다. 그러자 대용식으로 콩으로 만든 빵이 나오고 밀가루죽 같은 것도 곁들여 나오게 되었다. 다소 식사질이 좋아진 것이다. 그것도 양이 적어서 기아선상에서 매일을 지내야만 했다.

조다구 박사는 위대한 모택동 사상이 무엇이며, 무엇이 해방이며, 공산당 어디에 참 인간애가 있는가 등등을 곰곰히 생각하게 되었다. 수용소 안에도 간수하고 불순한 물건이 오고가곤 했다. 그것은 배고픈 자가 하나의 만두를 얻기 위해서였다. 이것도 아무나 하는 것이 아니라 귀중품을 가지고 있었던 일부 인사들 이야기이다.

많은 수용자들이 죽어 나갔다. 아침 점호시간에 일어날 기력을 상실, 누운 채로 죽음의 점호를 받으면서 여러 사람이 죽어 나갔다. 한 사람의 식사도 더 받아내기 위해서는 죽은 동지의 사망 보고를 며칠 후에 가서 상부에 보고하기도 했다. 매일 아침이면 누군가가 이러한 상태에서 가혹한 사역과 기아로 인해 죽어 나가는 것이었다.

입소할 때 73명이라는 입소자가 병사로 인하여 반수로 줄었다. 아침 점호시 반장이 간수에게 사망보고를 하면 의사는 사체(死體)를 검진도 안하고 그대로 당연한 것처럼 갖다 버리곤 했다. 물론 사체에서 나오는 귀중품은 자동적으로 간수가 챙기는 것은 당연한 일이었다.

죽은 자의 처리는 간단했다. 장례절차도 없이 멀리 떨어진 웅덩이에 몇명이 들고 나가서 던져 버리면 간단하게 처리가 끝나는 것이었다. 염불도 기도 같은 예식도 아무 절차도 없이 당연한 일과의 하나로 생각되기도 했다.

쇠약해져서 노동력이 상실되면 들어다가 수용소 밖에 있는 의무실(醫務室)에 옮겨 놓고 아무런 치료도 하지 않고 기다렸다가 숨이 끊기면 끌어다 같은 장소에 던져 버리면 모든 것이 끝나는 수용소의 실정이었다. 환자를 위한 의무실이 아니고 수용자의 죽음 대기실에 불과하였다.

3. 티베트의학의 명상(瞑想)

텐진 조다구 박사는 그러한 고난의 수용소 내의 생활에서 인생과 특히 인체 등을 세밀히 관찰 연구할 수 있는 기회를 가졌다. 이러한 불우한 난관에서 자기 자신이 어떻게 건강관리를 해야 되는가 등을 비밀리에 연구할 수 있는 좋은 임상의 기회로 삼았던 것이다.

우선 그 하나가 명상법(瞑想法)이다. 소화기 계통의 기관을 다스리면서 인체의 온열을 올리는 것인데, 그것은 매일 취침 전에 30분 정도 정신집중(精神集中)을 하면서 조용히 명상을 행하는 방법이다.

이러한 명상법을 '돈모 빠루사아'라고 하는데 즉 기(氣)를 통해서 사람의 체온을 상하로 유동시킨다는 뜻이다. 특히 티베트의학은 불교와 불가분의 관계가 있어서 밀교(密敎)인 티베트 불교는 여러 종류의 명상법이 있는 것이다. 물론 고승들이 계발하여 수행자들에게 전해진 것이다.

티베트 불교에서는 그러한 명상법이 단지 종교적 실천이라는 차원에서뿐 아니라 그것을 어떻게 인체의 건강관리에 이용하느냐, 특히 정신의학을 어떻게 발전시켜주는가를 연구하고 있는 것이다. 자세한 설명은 다음 장에서 언급하기로 한다.

즉 티베트의학에서는 인체의 각 기관을 세가지 분야(룽, 치이바, 빼겐)로 분류한다. 그러므로 진찰(診察)을 이러한 세가지 분야에서 하게 되는 것이다. 가령 인체에 룽이 수약해지면 인체의 생명력을 잃게 되며, 룽의 밸런스를 유지하자면 즉 전술한 기(氣)의 상통을 통해 체온 조절을 잘하여야 되는 것이다.

조다구 박사는 수용소 감방 안의 동료들이 잠들면 호흡법을 통한 명상을 시작하는데 기(氣)를 들이마시면서 그것을 배꼽 밑 단전으로 에너지를 집중시키는 수행을 계속한 것이다.

소위 백광(白光)이라 볼 수 있는 삼각형의 적색(赤色) 불꽃이 단전에서부터 두상으로, 다시 인체기관 각 오장육부 차카라에 도달, 통과하는 식의 법희충만(法喜充滿)한 상태에서 감로의 무색 투명한 광채가 거기에서 발광(發光)하게 되는 것이다. 그러한 기의 광채는 다시 하강하여 인체 하부로 돌아오게 되는 것이다.

그는 이러한 수행법으로 자신을 조정, 정화시키면서 건강을 유지하였으며 자신의 임상실험을 통해 고난과 어두운 환경마저, 즉 수용소 안에서의 고통과 학대로부터 벗어나 무색 투명의 광명으로 전환되어가는 자각을 증득하게 된 것이다.

그는 말하기를, 이러한 명상의 수행은 하루 이틀에 이루어지는 것이 아니고 꾸준히 적어도 반 년 이상 열심히 계속되는 데서 자신의 체온도 정상으로 유지될 수 있는 것이라고 역설하였다. 당시 수용소에서는 본인도 몹시 쇠약해져 있었으며 설사도 자주 하면서 소화기(消化器) 계통이 안좋았는데 명상 덕택으로 정상회복되니 죽는 역경에서 즐거움과 희망이 솟아나기 시작, 전신으로 청정한 기가 통하는 법희충만을 경험하여 역경에 굴하지 않고 순응해 가면서 살아나갈 수 있는 경지를 증득하게 된 것 같았다.

겨울로 들어서자 수용소 안에서는 많은 사망자가 속출하였다. 덕택에 침대를 전보다 넓게 사용하게 되어 몸놀림도 한층 편해 졌다. 그러나 생각하면 비통한 일이었다. 동료들이 많이 죽어 나간 것이다. 난방 사용이 금지되어 갇혀 있는 사람들은 서로 껴안고 서로의 체온으로 추위를 견디면서 자야만 했다.

한겨울이 옴과 함께 밖에서 일한다는 것은 무리였다. 그러나 감시하에 있는 갇혀 있는 사람들은 밭으로 나갔다. 얼어붙은 대지를 향하여 여름과 같은 면적의 황야를 개척해야만 했다. 동상이 손·발가락을 움직이지 못하게 만들고 있었다. 누더기 조각들을 주워 모아 손발에 감아서 그 아픔을 피할 궁리도 해 보았다. 양손의 상처는 하나가 나을 만하면, 또 다른 데가 터져서 성할 때가 없었다. 삽을 잡는다는 것은 대단한 고통이었다. 그는 그 당시 라사에서 면회한 형에게서 받아 입고 있던 가죽옷 웃통을 잘라 물에 적셔 입에 넣고 질근거리고 있었다. 가죽은 그러는 동안에 부드러워져 겨우 삼킬 수가 있었다. 허기와의 싸움이었다.

사막에 황진만장(黃塵萬丈)의 폭풍이 불어오면 임시 작업이 중지되었다. 간수도 좋아하는 것 같았으며 잠시나마 경보가 울리면 작업이 중지되면서 모처럼의 자유 시간을 가지기도 했다.

수용소가 위치한 마을 주천에서도 한 중국인이 기아로 먹을 것이 없어서 8세 되는 아들을 죽여서 그 고기를 먹었다는 소식이 전해지기도 했다. 그리고 동네에서는 사람고기 매매가 성행하기 시작했다. 공산당 정책으로는 도저히 이러한 극도로 참혹한 환경에 속수무책으로, 이에 대응하는 정부측의 정책이 나오지 않았다.

또 10대 소년이 어머니를 사살했다는 끔찍한 뉴스도 들려왔다. 원인은 어머니가 빵을 감춰 놓고 자식들에게 나누어 주지 않는다고 살해를 감행한 것이라 했다.

수용소 안에도 큰일인데 동네 주민들까지 식량 때문에 수용소 높은 담을 넘어서 습격해 들어오는 등 안과 밖에 식량난 때문에 날이 갈수록 상황이 심각해져갔다. 특이한 것은 이러한 와중에도 중공군 장교나 간수들은 모자라는 식량을 독점하여 기아상태와는 관계없이 잘 먹고 잘 지내고 있었다. 대신 수용자들 가운데 작은 것 하나만 훔쳐도 총살시키는 것이 보통이었다. 밥을 훔쳐도, 빵을 훔쳐도, 무슨 짓을 하든 모든 죄목은 무조건 전부 반동분자로 몰아부쳤다. 이 지역에는 비슷한 수용소가 더러 있었으나 공포의 사막에서는 별 도리가 없었다.

1962년 초에 수용소의 운영방침이 변경되었다. 중앙정부는 청해성(靑海省)과 감숙성(甘肅省)에 위치한 수용소에서 많은 사망 희생자가 속출하는 바람에 죄인들(수용자)을 다른 지역으로 이동시키겠다는 방침을 하달하였다.

수용자의 8만인 정도가 티베트인들이었다. 그리고 1959년부터 기근으로 인해서 굶어죽은 자만 반수인 4만인에 달했다. 약 10%가 티베트인들이고 소수의 위구르족에다가 90%가 국민정부(장개석) 계통의 군인, 관리, 학자들 그리고 일반 시민들이었다. 워낙 수감자 숫자가 줄어드는 바람에 열성적이던 세뇌교육도 점차 시시해지기 시작했다.

여러 감방이 썰렁해지자 간수들의 따가운 눈초리도 빛을 잃었고, 거실 등이 정리되는 등 수용소 안에는 많은 여유가 엿보였다. 수감자들끼리도 비교적 여유있는 대화가 교환되기도 했다. 여유가 생긴 것이다. 망명에 성공한 달라이 라마 법왕의 뉴스도 심심치 않게 자유로이 흘러들어오곤 했다. 무엇인가 앞날의 희망이 엿보이기도 했다.

식량배급도 전보다 질과 양이 늘었으며 4년 후 정월(正月)에는 처음으로 돼지고기를 맛보니 살 것 같은 분위기가 조성되기에 이르렀다. 추운 겨울밤에 수용소 안에서 모닥불도 피워놓고 불을 바라보며 오순도순 서로 대화할 수 있는 분위기가 이루어지게 된 것이다. 특혜로써 쥐를 자유로이 잡아 먹어도 좋다는 반가운 지령도 하달되었다.

중국인 수용자만 추려서 집단으로 다른 곳으로 이송시켰으며 주천 수용소에는 티베트인이 대부분이어서 식량도 전보다 풍성해졌다.

1962년 9월, 수용 인원이 300명 정도로 줄어들었다. 갑자기 티베트 수도인 라사에서 중공군 고급장교가 업무 출장으로 교도소에 오게 되었다. 텐진 조다구 주치의 신상에 반가운 낭보가 하달될 것 같은 기미가 엿보였다. 주천 수용소에 수감되어 있는 티베트인들이 전부 석방되어 고향으로 돌아가게 될 것 같다는 뜻밖의 희소식이 고급장교에 의해서 발표된 것이다.

그해 10월 18일 주치의는 주천으로부터 약 2주간 걸려서 트럭으로 동료들과 라사에 있는 포탈라궁을 내려다볼 수 있는 지점까지 이르렀다. 꿈에 여러번 그리던 법왕께서 안 계시는 포탈라궁전. 지난날의 기억들을 회상시키며 바라보았다. 출발할 때의 1/3이 겨우 살아서 죽지 않고 돌아오게 된 것이다.

주천에서는 해방이 되어 여기까지는 왔으나 완전 석방이 아니고 라사에서는 '따부지애'라는 다른 형무소가 그들을 기다리고 있었다. 원래는 1959년 이전에는 작은 티베트 경비군사령부가 있던 곳을 중공군이 점령하여 티베트 정치범 수용소로 개조시킨 곳이다. 거기에는 라사 대사찰에 주석하고 있던 고승들, 티베트 정부요인, 고관, 그리고 행정관들을 잡아들여서 사상적 재교육을 시키고 있는 곳으로 수천명을 수용하고 있었다. 또다시 주치의는 그곳에 수감되었다.

여기에서는 중노동은 시키지 않았으나 대신 잠자는 시간만 제외하고는 가혹한 심리면에 관한 사상교육을 주입시키기 시작했다. 판에 박은 모택동 어록에 관한 학습, 그리고 자기자신 경력에 관한 공산당식 자아비판, 세뇌고문과 재판이 다시 시작된 것이다. 피로에서 생기는 심리적 질환, 정신분열증 증세를 보이는 노이로제 환자들이 속출, 자살자가 생기기도 했다. 수용자들의 담소나 대화 등 일체의 희노애락(喜怒哀樂)의 표현은 엄중히 금지, 감시당하는 수용소 생활이 시작되었다.

여기서의 2년 생활 경험을 통해서 주치의는 중공군에 대응하는 요령을 체득하게 되었다.

1965년 5월, 텐진 조다구 박사에게 이동명령이 내려졌다. 그만 군용 지프에 실려서 라사 북동쪽에 있는 쌍김 형무소에 도착하게 되었다. 형무소 생활도 7년이 되어가는 가운데 공산당 교육도 이제는 아무 소용없는 특수한 수감자로 변신하기에 이르렀다. 모택동 어록 대신 그는 108염주를 만들어서 밀교수행인 만다라(진언)를 외우기 시작한 것이다.

후일 저자가 주치의께 사적으로 티베트의학을 배울 때도 보면 항상 그의 손에서는 염주(念珠)가 떨어져 본 적이 없었다. 그는 정신력도 강하고 신앙심도 강한 인물이었던 인상을 주었다. 매일 밤 명상과 염주돌리기, 육자대명왕진언인 '옴마니 반메훔'을, 그리고 문수보살 진언 등을 열심히 부르면서 지혜를 닦으며 의술을 연마한 것이다. 수만번씩 염주를 돌리는 경지에 들어가 심리적 불안 공포 등에서 벗어나 심리적 억압에서 벗어나는 수행에 몰두하기에 이른다.

이러한 임상(고난의) 과정을 거쳐서 그는 후일 정신의학에 기초를 둔 티베트의학의 권위자가 된 것이다. 텐진 조다구 주치의의 이러한 피눈물나는 고행과 정신적 수행의 결정적 실천 수행이 우리들에게도 잘 이해가 되는 가치를 창조해 낸 것이다.

1972년에 들어서 그에게 처음으로 형법상(刑法上)의 판결이 내렸다. 수용된 지 13년의 세월이 지났는데 징역 17년이라는 가혹한 판결이 떨어진 것이다. 아직도 4년이라는 형기가 남아 있는 셈이다. 인생의 개화기에서 피지 못한 채 중공군 군정하에서 허송세월을 보낸 것이다.

그러나 그는 굴하지 않으며 역경을 극복, 그리고 활용하는 방법을 체득하였던 것이다. 그것이 바로 만다라 진언 염불과 티베트의학 공부였다. 즉 티베트의학 전반에 관한 암송과 점검, 그리고 생활 주변에서 자주 눈에 들어오는 약초(藥草)에 관한 연구와 관찰 등을 게을리하지 않았다.

꼭 장래에 가서 언젠가는 사용할 기회가 올 것이라 믿었다. 이것이 바로 그의 천명(天命)이라고도 생각해 보았다. 4년 후에 형기가 끝난다 해도 완전 자유인이 된다는 보장도 없었다.

티베트 법왕 정부와 관련된 고위층 인사들은 형법으로 일체의 변호도 허락되지 않았다. 형기가 종료되면 자유노동조직(自由勞動組織)으로 편입되어 버린다.

즉, 외부에 있는 형무소와 같은 생활이어서 외부생활이라 하지만 모든 것을 상부에 보고하여야 되며 형무소 밖인 것뿐이지 무기징역과 하나도 다른 것이 없고, 오직 자유가 있다면 그것은 2주일마다 라사에 있는 자기 집에 돌아갈 수 있다는 허가제(許可制) 외출이었다. 급여도 다소 은분에 따라 지급되기도 했다. 모든 형무소의 운영면도 자유노동조직체의 생산목표와 관련이 있었다.

완전 석방이 되려면 치유불능의 병자나, 극히 노약자로서 완전 노동력을 상실하지 않고서는 석방될 수 없었다. 석방이라는 표현보다 무용지물이 되어 밖에 내다버리는 형국이라는 것이 지당할 것 같다.

많은 티베트인들이 집과 가족을 잃고 석방이 된들 올데 갈데 없는 처량한 신세, 곧 굶어 죽는 결과 외에는 별 도리가 없는 것이다. 그래서 라사 시내에는 동냥하는 걸인(乞人)들이 많이 우글거리게 된 것이다. 망명정부 인사들이 1980년에 첫 티베트 본토를 답사할 때 라사 시내 곳곳에서 이러한 광경이 목격되었다.

저자는 1992년에 주치의로부터 이러한 흘러간 역사 이야기를 듣기 전까지는 그러한 걸인들의 집단이 라사에 우글거리게 된 자세한 사유를 알 수가 없었다.

4. 티베트의학의 성과

조다구 의사는 판결 후 이도도 형무소로 이송되었다. 이곳에서는 옛날 같은 정치학습이나 세뇌교육 같은 것은 없었고, 채석(採石) 현장에서의 작업이었는데 체력이 감퇴되어서 걱정이지 외부에서 노동을 하게 되니 기분은 훨씬 홀가분하니 좋았다. 걱정이란 채석장에서 돌 파편이 얼굴을 가끔 때리는 것이 무엇보다 두렵고 위험했다. 그래도 매월 급료는 꼬박꼬박 지불되니 살 것 같았으며, 매월 30원(元)씩을 지급받았다.

그러던 어느 날 갑자기 그가 법왕 달라이 라마의 주치의라는 것을 알았는지 중공군 군의장교가 만나고 싶다는 요청이 들어왔다. 이모씨라는 군의관은 형무소에 예속된 관료 군인인데 실은 진찰을 받고 싶어서 부른 것이다. 만성질환을 앓고 있던 것이다. 그들 중국인들은 티베트의학을 단순한 종교의학 정도로 우습게 알고 있었다.

그러던 중국 군의가 혹시나 하고 호기심 반에서 조다구 주치의를 불러들인 것이다. 그의 증세는 불치병으로서 중국의학도, 서양의술도 별 효과를 못보고 있던 차였다.

채석장에서 매일같은 중노동으로 손은 엉망이었으나 그는 기회가 왔구나 하고 중국군의 진맥(쓰아)을 면밀히 보고는 자신있게 병세를 잡아내었다. '만성간장질환'이라고 병명을 알아냈다.

투약은 중공군 침입 후에도 존속하고 있던 티베트의료원(맨쓰이칸)에서 처방, 약을 이모씨 중공군에게 복용시켰다.

서양의약, 중국 명약으로도 효과를 못본 그의 간질환 만성병이 티베트약으로 효험을 보기 시작, 현저하게 병세가 호전되기 시작하였다. 중공군 군의는 약효에 놀라움을 금할 길 없이 좋아하였다.

명의라는 소문이 곳곳에 퍼지기 시작하니 형무소 소장, 그리고 공안국의 고위관리 환자들이 진맥을 보고 싶다고 면회요청이 들어왔다. 진맥과 처방을 전해주었다. 이번 일도 성공적이었다. 중요한 순간이었다. 이로 인해서 조다구 주치의는 일약 형무소 노동자로부터 쌍김 형무소 소속 관리의사로 발탁되었다.

1976년, 그는 17년 동안의 형기를 전부 마치고 자유노동자로 돌아가게 된다. 형무소 소속 의사가 되어도 중공 여의사(4인)들은 그를 시기하며 협력하지 않아서 병원에서의 진단도 진찰실 아닌 복도나 창고 같은 데서 환자를 보도록 비협조적이었다. 그러나 여기서 천명(天命)이라 할까 티베트의학이 빛을 보게 된 셈이다.

중공 여의사들은 티베트의학이나 조다구 주치의가 별 볼일 없는 비과학적인 존재라고 맹비난을 퍼부었다. 그곳에서 몰아내려고 신랄하게 공세와 모략을 가하였다. 결국은 중국 상부에서는 티베트의학에 관해서 재검토하기로 명했다.

상부 지시에 따라서 티베트의학에 관해서 분석조사한 결과 의술이 우수하다는 참된 가치를 인정한다는 확인 공식발표가 내려졌다. 물론 조다구 주치의 쪽의 승리로 조사는 끝난 것이다.

전화위복이 되어서 겨우 명맥을 계승하던 티베트의료원도 재정비가 되고, 티베트의서(醫書)가 재조사되는 등 지령이 내리게 되니 중공 여의사들은 난처해지고 말았다.

여기서 일약 조다구 의사는 티베트의학 조사단의 최고책임자로 임명받기에 이른다. 그래서 레분사라는 티베트 사원에 본부가 설치되었다. 어제까지도 반체제 반동분자로 몰리던 그가 지금은 어엿한 티베트의사단의 의성(醫聖) 자리에 앉게 되었다. 그리하여 1979년 그에게 노동작업 면제, 진단허가증도 티베트인 의사로서 발행할 수 있는 권한도 부여받게 되었다. 완전 자유가 부여되지는 않았으나 이것만으로도 대성공이라 그는 생각했다.

1966년 8월에 중국 전 국토에 문화대혁명(文化大革命)이 일어나자 티베트에까지 비화되어서 많은 문화재와 사원, 불상, 불경 등 귀중한 것이 불타버리고 말았다. 홍위병들이 반란을 일으키는 등 이러한 난국에 그는 무사히 형무소의 관리의사로 지내고 있었다.

이러한 문화대혁명의 봉기는 공산당 정부가 인위적으로 짠 각본에 의하여 일어난 것이라는 소문이었다. 파괴와 혼란은 3년이나 끌었다. 장본인은 모택동과 그의 처(妻)인 강청(江靑)이 일으킨 것이라 하며 티베트에서는 6세부터 80세까지의 사람이 사역에 끌려가곤 했다. 도망가거나 나태한 자는 무조건 총살을 당했다.

티베트인 사망자 수는 1968년부터 73년까지 5년간 약 백만명 이상이 사망한 것으로 추정되었으며 전인구의 6분의 1이 사살되거나 굶어서 죽은 것으로 되어 있다.

다행히도 이러한 난국에 주치의는 크게 피해를 보지 않았다고 한다.

1976년, 중국에서는 3인의 최고지도자급이 죽었다. 1월에는 주은래(周恩來), 7월에는 주덕(朱德), 9월에는 모택동이 차례로 죽은 것이다. 문화혁명의 주모자인 4인조 중 모택동 처인 강청이 체포되었다. 주자파(走資派)라고 불리우던 등소평(鄧小平)이 부활하여 권력의 자리에 앉았다. 티베트정책에도 다소의 변동이 있었다.

다음해 1977년, 북인도(北印度) 다람살라에 가 있는 티베트 망명정부한테 손짓을 한 것이다. 이러한 북경 정부의 부름에 따라 달라이 라마의 큰형이 대리대표로서 북경을 방문, 등소평과의 면담 기회가 찾아왔다. 돌아와 형은 법왕에게 등소평의 메시지를 전달하였는데 티베트에 난데없이 자유를 준다고 쓰여져 있었다. 무슨 영문인지 술책인지 잘 분간이 가지 않았다. 즉 30년간의 북경정부정책이 실패였다는 뜻이 포함되어 있었다. 중공정부의 정책으로는 도저히 티베트 국민을 끌어나갈 수 없으니 법왕인 달라이 라마께서 본국으로 돌아와서 다스려 주기를 종용하는 내용이었다.

4인조 문화혁명이 일어났던 10여년 전부터 이미 많은 티베트 불교사원, 불상, 불탑 등이 타버리거나 파손을 당했다. 일체의 지상에 있는 고유한 티베트의 문화품 등을 말살시켜 공산주의로 개종(改宗)시켜 보려고 시도했으나 완전 실패로 돌아갔음을 시인하는 것이었다. 오히려 불교의 신앙을 인정하면서 북경정부 감독하에서 법왕을 뜻대로 조종하여 티베트인의 인심을 한민족

쪽으로 동화시키려는 속셈이 엿보인 것이다.

여기에 응하는 법왕의 임시 망명정부쪽에서는 그렇다면 우리 조사단(調査團)을 직접 티베트 본토로 파견해 보겠다는 제안을 북경정부에 올리기에 이르렀다. 일단은 티베트 본토로 돌아가겠다는 뜻으로 받아들여진 것이다.

5. 네팔 국경으로

이러한 북경정부의 제안을 검토, 그리고 실제로 현지(티베트) 조사를 위해서 1979년 8월 2일에 법왕의 큰형인 로부산 다무뗀이 대표단을 인솔하고 조사에 착수했다. 5개월 동안을 라사를 중심으로 각 지방의 실정을 조사하기에 이르렀다. 목격한 것이란 티베트 문화재들을 거의 완전 파괴시켜버린 흔적들이었다.

그리고 티베트인들 거의가 걸인(乞人)이 된 비참한 상태에서 수만 명의 티베트 대중들이 법왕 대표가 타고 가는 승용차를 향해 미친 사람들처럼 환호성을 지르며 한없이 따라오는 광경이었다. 이러한 기쁨에 찬 티베트 대중을 폭도로 몰아 버리려는 것을 목격한 대표단은 즉각 차를 멈추고서 그들의 환호와 축복을 받아들였다.

하얀 천으로 된 머플러 같은 티베트식 카닥을 건네주는 티베트인들의 전통적 축복의 인사를 받았다. 거의 헐벗은 처지에 있는 국민들이 대표단을 환영할 수 있는 유일한 방법이었다. 대표단원들은 모두가 이런 꼴이 되는 자국민들을 보고는 울음을 멈추지 못했다.

1959년부터 북경정부는 국내외에 선전하기는 티베트가 이제는 완전히 해방되어 자유를 누리게 되었다고 떠들어 댔으나 사실은 그렇지 않았던 것이다. 현지의 실정은 비참한 참상 그대로였다. 모두가 법왕 형의 손이라도 잡아 보려고 몸부림을 치는 광경을 바라본 동행한 북경 관리들은 참으로 티베트 정책의 어려움을 절실히 보고 느끼는 것 같았다.

그들 티베트 국민들의 달라이 라마 법왕에 대한 절대적인 신앙심과 존경심의 발로를 목격한 북경 관리들은, 특히 20년 동안 중공의 신교육을 받았다는 청년층까지도 하나도 사상이 전환되지 않은 것을 보고 중국의 티베트인 동화정책이 완전 실패라는 것을 대표단의 방문을 통해 확인하였다.

라사의 시민 대중들은 티베트 대표단을 향해 독립만세를 부르며 자유해방 티베트의 환성을 올리면서 중국관리들을 밀어붙이기도 했다. 그들은 한결같이 법왕이 라사로 돌아오시면 안된다고 외쳤다. 분명히 중공의 함정에 빠질 우려가 있으니까 하고 소리 높이 외치기도 했다. 결국 북경 정부의 계략이 완전 실패로 돌아간 것이다.

티베트 대표단 일행은 라사 시외에 있는 중공군 고급장교 숙소로 초대되었다. 당연히 대표단 자신도 지방시찰이 끝나면 라사 시내에 투숙하게 되리라 기대하고 있었다. 법왕 큰형인 로부산은 자신의 저택이 라사 시내에 그대로 남아 있으리라 믿었는데 이미 집이 인민재산(人民財産)으로 넘어갔다고 안내자가 말을 전했다. 이해가 가지 않았다. 티베트 안에 있는 거의 좋다고 하는 물건들은 가옥이나 문화유품 등은 거의 중국인들의 재산으로 넘어간 뒤였다.

저자도 1980년에 약 1주일 간 고급장교 숙소에서 숙박한 일이 있었다. 저자가 13세부터 관심을 가졌던 티베트 땅에 발을 디딘 것은 1980년 8월이었다. 고급장교 초대소는 조용한 숲속에 자리하고 있었으며 마을에서 떨어져 있고, 인근에 중국군 주둔부대가 있었으며 포탈라궁전이 저 멀리 바라보이는 좋은 곳이었다. 티베트인들이 쉽사리 가까이하기 어려운 지대였으며 외국여행자들까지도 분리시켜 접근할 수 없는 초대소라고 기억된다.

곧 숙소를 라사 시내에 있는 불교사원으로 옮겼다. 약 2만 명에 달하는 사람들이 사원으로 몰려왔다. 열광적 환호가 결국 대표단을 엉망으로 만들어 놓았다.

중국 당국은 곧 이렇게 열광적으로 환영하는 군중들을 무허가 집회 시위군중으로 규정하고 민중을 탄압하기에 이르렀다. 그리하여 중국정부쪽과 대표단 사이에는 대립하게 되었다. 필연적인 현상이었다. 그들 티베트인들 전부가 대표단을 손이라도 만져보고 싶은 심정에서 수천 명이 구름처럼 열광적으로 몰려와 중국 경비병들도 경비를 포기할 수밖에 없었던 것 같았다.

그 장소는 순식간에 대표단을 얼싸안고서는 슬픔에 한맺힌 울음바다로 변하고 말았다. 대표단 숙소인 노루부린가궁에는 불청객 시민이 만명 가량 들어와서 '달라이 라마 법왕의 축복을'이라고 소리치는 것이었다. 관헌들도 속수무책이었다.

누군가 여기에 법왕 주치의 텐진 조다구 박사가 와 있다고 로부산을 향해 큰 소리로 외쳤다. 군중을 헤치고 나온 주치의는 법왕의 형과 눈물로 상봉을 하게 되니 21년 만의 만남이었다.

'법왕께서는 안녕하십니까, 당신도 피곤해 보입니다.'라고 서로 주고받는 인사가 있었다. 로부산의 눈에 들어온 주치의는 안색이 안좋고 체력이 많이 떨어져 보였다.

법왕 형인 로부산은 중국측에게 가능한 한 조다구 의사를 한시라도 빨리 석방해 줄 것을 제안해 두었다. 중국정부는 시간을 두고 검토하겠다고 어느 정도의 희망을 주었다. 법왕 형을 중심으로 파견된 티베트 시찰 대표단 일행은 그해 12월에 망명정부로 돌아왔는데 참고 자료인 보고서와 사진 등을 많이 가지고 돌아왔다. 물론 법왕 주치의에 관한 인적 보고도 있었다.

1980년 5월, 제2차 티베트 본국 조사단이 북경을 경유해서 티베트로 입국이 승인되었다. 이번에는 광범위한 대표단으로 미국, 일본, 스위스, 영국 등에 파견되어 있던 망명정부 연락소의 대사급 대표들이 참가하였고, 티베트청년회 간부들도 동행하게 되었다.

북경 정부쪽도 중국공산당 총서기인 호요방(胡耀邦)이 직접 몇명의 측근자를 거느리고 티베트 현지 사찰에 나섰으니 티베트 점령역사 30년을 통해 처음으로 중공정부의 정상급 지도자가 티베트를 방문한 것이다.

호요방 총서기 일행이 방문하고 나서 생긴 변화는 큰 것이었다. 즉 티베트인들의 생활상이 극도로 피폐된 것을 목격하고 온 그는 즉시 티베트자치구의 제1등 서기(書記)를 해임시켰다. 신임 서기를 임명하면서 티베트 일대를 부흥시킬 기획을 특별히 지시한 것이다.

여기에 이어서 6월에 들어서자 제3차 조사단이 광동(廣東)으로부터 티베트 교육계 시찰 명목으로 파견되었다. 여기에는 단장(團長)으로는 달라이 라마 법왕의 누이동생되는 찌엔생 빼마 여사(女史)가 직접 나섰다. 여사는 티베트청소년사업단체 이사장(理事長)이었는데 대표단은 7명이었다. 이들 대표단들은 첫 번째 대표단보다 한층 더 어두운 점을 많이 보고 돌아왔다. 즉 많은 청소년들이 모국어인 티베트어를 모르고 있으며, 의복이 남루하고 그뿐더러 소년들의 영양급식이 극도로 안좋은 면을 알게 된 것이다.

찌엔생 빼마 여사(달라이 라마 법왕의 누이동생)

저자도 1980년 8월에 티베트 라사 주변을 방문했는데 그때도 거지떼 같은 소년들이 우글거리는 실상을 목격한 바 있다. 티베트인들의 어려운 생활상은 하나도 개선되지 않은 채 세월은 흘러가고 있었던 것이다. 라사에 있는 조칸사원도 사문이 열려 있기는 했으나 티베트인들이 사찰에 들어가 오체투지(五體投地)도 하고 그랬는데 80년도에 들어서는 종교탄압으로 인해서 그러한 신행도 하지 못하게 된 것이다.

이번에는 사찰대표단이 라사 시내에서 마음대로 걷지도 못하고, 민중과의 접근도 금지시켰다. 자유로운 시내 외출도 금지되었고 언제나 사복 비밀경찰의 미행을 받기도 했다.

옛날과 같은 티베트인의 평화와 자유는 사라지고 공산당정책이란 말뿐이지 모든 것에 가면의 정치가 드러나고 있었으며, 티베트인들 역사 이래로 비참한 일상생활이 계속되고 있었던 것이다.

제1차 대표단이 왔다 간 후 1980년 10월에 텐진 조다구 의사는 노동자로서의 검은 모자를 당국에 반납하였다. 즉 완전히 자유인으로 돌아가게 된 것이다. 다행히도 법왕 큰형의 제안이 북경정부에 받아들여져 주치의는 인도 출국이 승인되었다. 법왕에게 중국정부의 티베트 해방정책도 예정대로 잘 실천될 것이라고 전해 달라는 부탁이 있었다. 휴가는 1년 간이었다. 다시 돌아와 귀국보고를 하라는 명령이 있었다.

형무소의 간부들은 주치의가 인도에 가게 된다고 축하하는 뜻에서 환송 다과회(茶菓會)도 열어주었다. 송별석상에서 형무소장은 주치의의 인격과 의술에 대해서 '중국의 보배'라고 하면서 극찬을 아끼지 않았다.

다음날 주치의는 수용소 측에서 제공하는 지프로 네팔 국경으로 향했다. 중공군 국경지대에 오니 적기(赤旗)가 휘날리고 있었다. 설산인 히말라야가 눈이 녹아서 급류가 되어 니야낭강으로 흘러내리는 광경이 눈에 들어왔다. 그곳에서 중공군과 작별하고 무사히 국경선을 넘어서 네팔로 들어오니 국기가 주치의의 입국을 환영하는 것같이 바람에 휘날리고 있었다.

돌이켜보니 1959년 3월 19일 잊을 수 없는 그날로부터 21년이라는 세월이 흐른 것이다. 생사에서 헤매다가 겨우 죽지 않고 돌아온 것이다. 자유의 몸을 얻은 기쁨으로 큰 소리로 자유 만세를 외쳐보았다. 21년 간 쌓인 한이 다 풀어지는 것 같았다.

창공을 바라보면서 '저속한 공산당배들이여, 모택동을 포함해서 언젠가 지옥에 떨어져 고통을 받는 날이 꼭 올 것이다. 이 바보들아'하고 중얼거렸다. 아무도 더이상 바보 같은 한민족(漢民族)을 존경하지 않을 것이다. 이렇듯 그는 비웃으면서 히말라야 창공을 바라보면서 네팔 국경을 넘어섰다.

이리하여 티베트의학의 거성(巨星)인 텐진 조다구 주치의는 티베트인들의 따뜻한 환영을 받으면서 네팔의 수도인 카트만두 시내의 자유의 공기가 충만한 별세계로 들어오게 된 것이다. 중국 공산당 지배하에서 보던 광경이 아니고 산더미 같은 상품이 넘치는 것을 보고 들으니 모든 것이 자유스러웠고 즐거워서 신기하기만 했다. 어째서 이렇게도 차이가 있을까 하고 자문자답을 해보기도 했다.

3시간 지나 인도 뉴델리를 향해 비행기에 무사히 탑승하게 되었다. 기내에서 흥분을 가라앉히면서 생각해 보았다. 카트만두시에는 일본제 승용차도 달리고 상품도 풍요로운데 왜 중국은 그렇지 못한가 하는 마음속 정리도 하면서 뉴델리 공항에 안착했다. 도착하니 주치의가 알고 있는 티베트인 몇사람이 공항까지 나와서 영접해 주었다. 뉴델리는 네팔보다 더 규모가 크고 세계의 부호가 이곳에 다 모여사는 것 같은 첫인상을 받았다.

티베트 라사시에서는 생활도 어려운 지경에다가 항상 한민족의 따가운 눈초리를 피해가면서 살아야 하는 노예 이하의 매일매일의 생활이었다. 아! 얼마나 불공평한 대조적 생활이 전개되고 있는가 하며 현실을 한탄해 본다. 지금 나 자신은 자유의 몸이 되어 자유의 나라, 사회에서 자유를 누리게 된 것이다.

학문, 종교, 의학 등 모든 분야에서 자유와 참다운 사람의 가치를 인정받을 수 있는 여건은 당연하다는 생각을 처음 이 순간 할 수 있었던 것이다.

자! 이제는 하루속히 법왕 달라이 라마 곁에 가서 나의 천명(天命)인 의술로써 공헌할 수 있는 기회를 기대하면서 전력을 다할 것을 서원하며 어찌할 줄 모르는 심정세계로 빠져들었다.

6. 법왕과의 재회(再會)

1980년 11월 19일, 북방 창공이 맑게 보이는 어느 날, 법왕이 망명하여 주석하고 있는 다람살라에 도착하였다. 법왕의 형이 북경 정부요인에게 요청한 바 그의 석방을 가능하게 하였던 것이다. 형인 로부산과의 재회도 서로 감격적인 눈물의 한 장면이었다.

드디어 주치의를 환영하기 위해서 영빈관(迎賓館)의 방 하나가 준비되었다. 티베트 전통의 달력법에 의거해서 길일(吉日)을 정하고 법왕 달라이 라마는 그를 친히 초대하기에 이르렀다. 새로운 티베트 복장을 한 주치의는 비서의 안내를 받으며 소(小)포탈라로 향했다. 그는 티베트 전통에 의한 존경을 표시하는 카닥이라고 하는 백색의 머플러를 준비하여 법왕의 거실로 들어섰다.

그러나 법왕은 거실 안이 아니고 입구에 선 채로 만면에 자비로운 미소를 지으면서 큰 소리로 그의 돌아옴을 환영하였다. 주치의는 상봉의 이날을 마음속에서 얼마나 기다리고 바라면서 살아온 것일까.

의사는 법왕을 뵙자마자 말문이 막히고 감격에 눈물이 터지고 말았다. 어려운 고난 속에서 굴하지 않고 잘도 살아계심을 목격한 그는 그저 법왕이 내민 온정에 손을 잡은 채로 어쩔 줄 몰라 눈물만 흘릴 따름이었다. 곧 티베트 고유의 차(茶)가 나왔다. 마음이 다소 가라앉게 되자 말문이 열리기 시작했다. 법왕이 의젓하게, 그리고 늠름하게 성장하였음을 바라보는 주치의는 소년시절보다 훨씬 성숙한 법왕의 모습을 그저 바라보는 것이었다.

물론 세월이 흘러서 건장하게 자라고 청결하고도 엄숙한 환경하에서 그토록 성장하셨음을 한눈에 인식하게 된 것이다. 이제껏 계속된 그의 법왕에 대한 근심과 걱정은 순간에 사라지고 만 것이다. 회고하면 20년 간을 하루도 주치의로서의 사명감을 잊은 적이 없었다.

그후 그는 법왕 달라이 라마의 주치의는 물론이요 메디컬센터 원장으로, 그리고 제약공장장으로도 취임하게 되었다. 1959년 3월 18일 이전에 매일 조석으로 법왕을 진맥하는 그의 임무가 다시 여기에서 시작된 것이다.

그리고 티베트약 제약 분야에 있어서도 그에게 기대하는 바가 컸다. 특히 법왕이 큰 관심을 쏟고 있는 티베트 전통약인 고귀한 약, 이름하여 '쓰오도유'라는 제약인 것이다. 이 티베트의 고귀약 제조법은 망명한 티베트 의사들로서는 아직 누구도 알고 있는 사람이 없었던 것이다.

이러한 티베트 전통의 고급약품 제조법은 제조과정과 성분 배합이 복잡해서 의전(醫典) 설명만 가지고는 알 수 없는 특수한 약이라고 한다. 이것이 곧 티베트가 자랑하는 고귀한 선약인 것이다.

현재의 법왕 주치의가 지금으로부터 약 30년 전 티베트 본토인 맨쓰이칸 의학장(醫學長)으로부터 친히 그 약의 제조 비법(秘法)을 전수받았기 때문에 다람살라에 피난와서 약제조 완성을 준비하기에 이른 것이다.

그는 중공 치하 20년 간 형무소 생활을 하면서도 의학교전(醫學教典)을 연구하며 암송하기에 이르러 오늘에 와서야 그러한 노력의 결과가 결실을 맺게 된 것이다.

법왕은 각별히 고귀한 약의 제조를 여기 법왕청 안에서 할 것을 부탁하였다. 일체의 약재(藥材)를 미리 티베트사원 약사여래(藥師如來) 앞에 올려 기원을 먼저 올리고 나서 제조할 것도 요청하였다.

법왕도 그 제약 공정을 견학하고 관찰하였다. 마침내 20명의 티베트 의사진이 3개월을 걸려서 쓰오도유라 칭하는 고귀약의 제조가 완성하게 된 것이다. 티베트의학 사상 이렇게 대량의 약품이 제조된 것은 처음이다.

저자 자신도 그와 사제(師弟)관계를 맺을 때 가서 고귀약 제조과정을 시찰하도록 권유를 받은 바가 있으나 3개월 간 있어야 된다기에 주치의의 권유를 받아들이지 못했다. 이리하여 제조된 고귀약은 망명정부가 있는 다람살라 메디컬센터에 전승되게 된 것이다.

그는 후에 고귀약 제조가 완성되자 고백하기를 자신은 모든 운명을 삼보(三寶)에게 바쳤으며, 분명히 부처님의 가호력 안에서 옹호되고 있다는 신념을 믿고 있었다 한다. 그뿐만 아니라 부처님께 감사드리고자 하는 것은 주천(酒泉) 형무소에 76명이 보내졌는데 그 중에 자신을 포함하여 4명만이 살아남았다면서 불타의 가호라고 실토하면서 불은(佛恩)에 감사한다고 서술하였다.

제조된 신비의 고귀약 사용법이 있는데 여기에 기타 4가지의 다른 약제를 배합시켜서 응기여약(應機與藥)하여 쓰오도유의 제조로부터 배합, 그리고 사용법 일체가 신비롭고 간단한 것이 아님을 알게 되었다. 결국 다람살라에 와서 제조가 완성하게 된 것이다.

참고로 주치의가 중공측에 있을 때 그들의 강력한 요청을 받아 1978년 8월에 이와 비슷한 약을 제조한 바 있으나 어디까지나 유사품이었지 진짜 약이 아니었다고도 실토하였다.

• 티베트의 전승귀약(傳承貴藥) 쓰오도유에 관해

영문(英文)으로는 'TSOTHEL'이라고 소개되어 있다. 일본어로는 '쓰오도유'라고 번역되어 발음한다. '쓰오'란 뜻은 볶는다는 뜻이고 '도유'란 뜻은 씻는다, 혹은 정화(淨化)시킨다는 뜻이 있다 한다. 1200년경에 인도(印度)의 한 고승인 '로본로 돕뿌'가 발명한 것인데 수은(水銀)에 금은, 그리고 기타 10여종을 배합하여 만들어진 것이다.

그후 티베트인으로 '쓰부사(寺)' 고승 '게돕뿌 우갠 린젠바루'라는 스님이 인도 로본 경전에 의거해서 만들게 된 것이라 한다. 스님은 1230년생이며 인도에서 티베트로 돌아와 쓰부사에서 고귀약을 제조, 널리 보급하였다 한다. 수은제(水銀劑)를 써가지고 만드는 제약법은 게돕뿌 스님에 의해 처음으로 세상에 알려진 것이다. 이 약물에 관한 이야기는 가라차가라(時輪) 경전에는 일부 설명이 있다. 그 제조에 대해 간단한 설명을 해보기로 한다.

1. 수은(水銀)에 3종 약물인 ① 까아, ② 삐삐링, ③ 뽀와래 등을 섞어서 사슴가죽(鹿皮) 혹은 양가죽에 싼다.
2. 이것을 볶는다.
3. 수은의 독성을 완전히 제거한다.
4. 금은(金銀), 기타 30여종의 약품을 넣는다.
5. 제조기간이 약 3개월 요한다. 완성된 주제(主劑)는 검은 흑색 분말이 된다. 물에 떨어뜨려도 가라앉지 않는 것이 진짜다. 가라앉는 것은 불량으로 효과가 없다. 점화(點火)시키면 분말은 완전히 연소되어 버린다.
6. 금은은 별도로 처리되면서 양면에 어떤 종류의 약제를 바른다. 땅속에서 다시 굽는다. 거기다 얇은 박을 입힌다.

조다구 주치의는 1952년 티베트 파리히라는 곳에서 최초로 이 약을 제조한 바가 있다. 1978년 중국정부 요청에 의해서 제조한 것은 전술한 바 역시 진품이 아니었다고 한다. 그후 1982년에 한 번, 그리고 1987년 7월에 4년 간의 준비기간을 거쳐서 많은 조수들이 거들어서 64kg이라는 대량 제법에 성공한 것이다.

린쳉(보물)이라고 불리우는 기초 약물은 예부터 전해왔는데 즉 불로장수(不老長壽)한다는 뜻의 강장제(强壯劑)인 것이다. 일체 독물에 대한 해독(解毒) 작용을 하며 최근에 암성(癌性)

질환에 대해서 강한 억제력이 있다고 해서 주목을 끌고 있다. 단지 항암제(抗癌劑)로서 뿐만 아니라 항암 특유의 부작용이 전혀 없다는 것이다. 저자도 1주일에 한 알씩을 내복하고 있는데 몸의 컨디션이 좋아진 것에 놀라고 있다.

7. 맨쓰이칸(티베트 메디컬센터) 방문

달라이 라마 14세 법왕의 주치의 텐진 조다구 박사를 처음 만나게 된 것은 1987년 5월 1일이었다. 전술한 바 그가 기구한 반생애(半生涯)를 가졌던 인물이라는 것을 처음 알게 되었다. 즉 그는 중국공산당 정부 압정하에서 풀려나와 해방되어 다람살라 티베트 망명정부에 돌아온 지 7년이 되는 해였다. 메디컬센터 2층 밝은 방안 큰 책상에 앉아 있는 그에게 처음으로 인사 소개를 받게 된 것이다.

승려와 같은 모습으로 중간 정도의 체격을 가진 온화한 모습이 초면인데도 친밀감을 받을 수 있는 좋은 인상이었다. 실내에는 티베트의학의 독특한 해부도(解部圖)인 탕카가 몇장 걸려 있었다. 탕카에 관해서 설명을 들으면서 질문을 던지곤 했다. 나는 그와 같은 것을 1980년 티베트 라사에 있는 맨쓰이칸 의료센터를 방문하였을 때 본 일이 있다.

중국측에서도 티베트의학에 대해 인정과 재평가를 하기 시작한 때라서 《규씨이(티베트의학의 체계적 의전)》와 해부도인 탕카를 일반 관광객들에게도 보이는 때였다. 이러한 자료수집과 조사하는 작업에 주치의도 정치범 신분으로 조력한 것 같았다.

다람살라 망명 때 귀중한 탕카를 지니고 나올 시간도 없이, 중공 정부가 점유하였다. 당시 5년제 티베트 의학교와 제약공장, 자료실, 병원 등 시설을 하루 걸려 견학한 일이 있었다.

저자가 1980년에 조사한 바에 의하면 티베트 본토의 의료원(맨쓰이칸)은 라사시 중앙 죠칸사(寺) 부근에 있었다. 가운데 4층 건물 병원으로 디베트의학의 교육기관으로서 면모를 지니고 있었으며 1915년에 설립, 이미 65년의 역사를 가지고 있었다.

내과, 침구과(鍼灸科), 외과 등 3부문으로 구성되어 있었고, 외과는 서양의학을 전공한 중국계 의사가 담당하고 있었다. 안에 들어가 보니 약초의 독특한 향기가 건물 내부에서 진동하고 있었다. 그야말로 티베트의학의 분위기 그대로였다. 환자들은 작은 구멍을 통해서 투약을 받고 있었다.

일반환자와 약제실 사이가 너무나 준엄하게 분리되어 있어 투약하는 광경이 기묘(奇妙)하게 느껴졌다. 허가를 얻어서 약재실 안에도 들어가 보았다. 수백을 헤아리는 한약방, 약서랍 같은 것이 질서정연하게 있었고 거기에는 가지가지의 성분을 가진 환약(丸藥)이 들어 있었다. 독특한 냄새를 풍기고 있었다. 방안에는 중국인 관리주인과 티베트인 약제사, 그리고 흰 가운을 입고 있는 여직원 몇명이 일하고 있었다.

약물(藥物) 모양은 거의가 환약으로 주로 원형이었다. 기타는 분말약, 광물질의 모래알 같은 것 등 여러 가지가 있었다. 탕약(湯藥)도 있었으며 석영(石英), 석뇌(石腦), 산호(珊瑚), 진주(眞珠), 금, 은, 동, 철, 수은 등 70종이나 되는 광물질이 사용되고 있었다. 실로 알 수 없는 신기한 의학이라고 실감하면서 호기심과 의문을 품고 2층 진료동으로 발을 옮겼다.

병원 대합실이나 복도에는 벽에 모택동 어록이나 포스터 등이 요란하게 장식되어 있었으며 내용인즉 우리 인민들이 이러한 의학술의 혜택을 받는 것은 오로지 모택동 지도자 동지의 위대한 해방노선(解放路線)의 결과라고 극찬하는 것이었다.

2층 여러 방으로는 티베트인 환자들이 출입하고 있었으며 하루 평균 70명 가량의 외래 환자들이 찾아온다고 했다.

흰 가운을 입은 티베트 의사가 '쓰아법'이라는 독특한 진맥법을 가지고 진찰하고 있는 광경을 목격하였다. 의사는 약초 하나를 꺼내 보이면서 이 같은 약초를 구해서 달여 먹으라고 지시하고 있었다. 양심적이라 느꼈다. 쉽게 아무데서나 구하기 쉬운 약재는 환자 본인들에게 가까운 산야(山野)에서 손수 구해서 달여 복용하라고 친절히 지시하는 것이다.

원장인 티베트 의사 '공가 삔쓰오' 스님을 만났는데, 그의 나이는 76세로 14세 때부터 의술공부를 시작해 임상 경력이 62년이나 된다고 했다. 티베트말만 하는 분이라 50세 가량의 부원장이 중국어로 해주었다. 이중통역으로 중국어를 일본어로 전해 주었다. 통역의 한계 때문에 깊은 이해는 힘들었다.

현재 일반 외과는 티베트의학에서는 하지 않고 있다고 실토했다. 그래서 외과는 서양의학면으로 해나갈 작정이라 시사하고 있었다. 티베트의학은 서양의술보다 일반 내과가 더 우수한 것 같다고 자랑하고 있었다. 약물과 처방에 있어서 우수하고 독특하다면서 우수성을 피력했다. 여기서는 현재 병세가 많은 질환이 만성 기관지염, 관절염, 위궤양 등의 환자가 비교적 많은 편이라고 했다.

특징으로는 티베트의학이 천문력(天文曆)과 깊은 상관관계가 있어서 고대로부터 티베트의술이 천문점성학(天文占星學)하고도 표리일체(表裏一體)로 놀라지 않을 수 없었다. 그뿐 아니라 천문점성술은 일반 티베트인들의 생활면, 즉 농사, 목축 등에 기준으로 활용되고 있다는 것이다.

또한 불법(佛法)과의 관련도 있어서 티베트인들 생활의 정신적 기둥이 되어 있음을 엿볼 수 있었다. 그것을 입증하듯이 천체우주(天體宇宙)의 운행도가 탕카와 함께 병원 벽에 크게 달려 있었다. 다른 방에서는 고령의 티베트인이 의전(醫典) 판목에서 종이 복사를 하는 것을 목격했다. 이것이 티베트의학 문서인 것이다. 또 가까운 곳에 있는 티베트 제약공장도 시찰하였는데 넓은 공장 안에는 환약(丸藥)을 건조시키느라 약 200개가 넘어보이는 대나무로 만든 큰 광주리가 있었다.

공장 안에는 전동화(電動化)가 되어 있어서 각종 기계로 광물을 분말로 빻고 있었으며, 한쪽에는 환약을 만드는 회전 드럼이 큰 소리를 내면서 움직이고 있었다. 이때까지 법왕 주치의는 석방되지 않고 있었던 시기였다. 그해 8월에 가서야 텐진 조다구 주치의는 형무소에서 석방되었다.

이 병원 방문을 전후하여 한 사람이 그림자처럼 따라다니면서 사진을 찍었다. 그와는 나중에 다람살라 병원에서 1994년에 상봉하게 되었는데, 그는 중공군 치하에서 태어난 우수한 인재로서 중국 북경민족학교를 졸업하고 티베트의학을 전공하는 엘리트 따와 의사인 것을 알게 되었다. 그에게 중국정부는 좋은 일

도구다 따와

자리, 즉 인재 등용을 안하고 시시한 일반 관광 사진사로 지방 정부에서 채용하고 있었는데, 나중에 약물박사(藥物博士)로서 약초 그림, 사진을 수집하는 데 일가견이 있는 우수한 천재적 약학박사가 되었다.

후일 그도 히말라야산을 타고 네팔을 통해 북인도 법왕 망명 정부가 있는 다람살라로 망명하게 된다. 1995년에 저자는 망명 10년이 된다고 하면서 전후 사정 이야기를 들은 바 있다. 주치의는 후일 그의 약초도감(藥草圖鑑)을 기념으로 보내준 일이 있었다.

여기서 티베트 라사시에 있는 의학원(醫學院)과 망명정부가 있는 다람살라의 의료원과 비교하자면 다람살라에 있는 의료원 시설의 모든 것, 티베트의학에 관한 재료 및 문헌, 번역물 등, 티베트약재, 진맥법, 영문 번역사업 등이 라사의 의학원보다 정비가 훨씬 잘 되어 있었고 의학교의 교육시설면도 넓고 청결하며 가르치는 내용도 다람살라 쪽이 권위있는 티베트 전통의 내용을 확실하게 교수하고 있음을 목격하였다.

말할 나위 없이 모택동을 선전하는 포스터, 사진 등도 물론 붙어 있지 않아서 순수한 티베트 의료기관임을 상기시켜 주었다.

(번역자 방육도 1997년 9월 23일 법왕과 망명정부의 초청을 받아 다람살라 의료원을 시찰한 바 있었다. 저자인 야마모토 박사 의료센터도 있었으며 표현하기 어려울 만큼 놀라웠다. 의학의 발전을 실감했다.)

8. 법왕과 저자

저자의 여행 마지막 날인 5월 1일, 처음으로 달라이 라마 14세 법왕을 열견(列見)하게 되었다. 법왕은 4월 16일부터 장기명상(瞑想)에 들어가는 기도가 시작되었기 때문에 함부로 면회접견이 어려운 시기였다. 남인도에서 망명사원 생활을 하고 있는 밀교학문사(密教學問寺)의 활불(活佛)인 곤소 림포체가 법왕에게 저자에 관한 소개를 사전에 잘 해주었기 때문에 덕택에 드디어 5월 1일 법왕의 휴식시간을 이용해서 면담 기회가 마련된 것이다.

5월 1일 다람살라 한 호텔에 숙박하던 중 창밖으로 보이는 히말라야의 설봉(雪峰)을 바라보면서 목욕을 하고 있는데 갑자기 종교문화청에 소속되어 있는 제일 비서(스님)가 찾아와 그를 맞았다.

달라이 라마 법왕 면회 때문에 의논과 보고차 공무로 찾아온 것이다. 명상기간 중이어서 시간이 부여되기 힘드나 5월 1일에 떠나신다니까 확실치는 않으나 출발하시기 전에 뵈올 수 있도록 적극 주선하겠다는 것이었다. 대단히 정중한 표현이었다. 보통 1개월 전에 서면으로 면회신청을 하게 되어 있다고 하였다.

나는 활불(活佛)인 큰스님께 부탁을 단단히 해놓았기 때문에 안심하고 있었다. 거의가 법왕의 면담 방법이 일정한 날을 정해 집단적으로 마당에 서서 약 10분 정도 이야기하면 그것으로 면회가 끝나곤 했다 한다.

나는 그러한 식의 면회가 아니고 단독으로 조용히 법왕을 만나볼 예정이었으나 법왕의 명상수행 기간에 오게 되어서 당황하였다. 도서관 게시판에도 영문(英文)으로 '법왕께서는 장기명상 중에 누구와도 면회하지 않습니다.'라고 공문이 붙어 있었다.

또다시 티베트 승복 차림의 젊은 법왕 비서인 유독구 가르마 께렉 스님의 방문을 받았다. 5월 1일 오전 10시 반에 법왕청으로 나와 달라는 전달이었다. 자세한 사항은 내일 9시가 지나서 또 다시 연락하겠다고 하면서 돌아갔다. 나의 면회요청이 일방적인 무리한 부탁이었음을 실감하였다.

법왕청(法王廳)의 임무는 법왕의 제반 직무에 있어서 총괄적으로 특히 국제외교와 일반섭외 등 법왕 중심의 기관이다. 여기 법왕부(法王府)는 각부 장관과 내각(內閣)의 중간 조정역할을 하고 있었다.(가르마 깨렉 스님은 법왕부 비서로 있다가 1996년 일본 동경 달라이 라마 망명정부 연락사무소 대표로 활약하고 있다. 번역자인 본인과 친구이며 동경 입정대학(入正大學) 동문이기도 하다.)

법왕을 접견하는 전날, 비서인 가르마 께렉 스님으로부터 여러 가지 선물을 받았다. 법왕 호마법요(護摩法要)에 쓰이는 가면사진과 승무(僧舞) 컬러사진 등 인상 깊은 작품이었다. 저자는 법왕에게 드릴 일본인형 등을 준비해 놓고 잠이 들었지만 흥분으로 밤을 설쳤다.

저자는 중학교 때부터 티베트 문화에 관심을 갖기 시작했다. 학교도서관에서 빌린 《서장유기(西藏遊記)》라는 책 한 권이 당시의 소년을 매혹시킨 것이다. 티베트 탐색기행문(探索紀行文)으로 일본 서본원사 법주인 오다니고스이(大谷光瑞)의 머리말이 있었던 책을 읽은 것이 동기가 되었다. 《서장유기》가 명치(明治) 대정(大正) 연대를 통해 나의 정서를 지배하고 꿈을 안겨준 것은 사실이었다.

종전(終戰) 후에도 티베트에 관한 서적이라면 거의 독파하였다. 중공군의 티베트 점령으로 인해서 입국이 불가능하였던 시절에는 부득이 인근 국가인 티베트문화권에 가까운 네팔, 부탄, 북인도 등을 여행하면서 티베트 문화를 탐색하는 수밖에 없었다. 이때가 1970년쯤이라 기억되고 있다.

그러나 1979년에 들어서자 중국정부는 서서히 티베트 출입여행을 외국인에게 열기 시작했다. 주로 여행허가는 일반관광으로 외화 벌어들이기와 티베트 해방정책(解放政策)을 선전하기 위해서였다. 제1진 티베트 관광쓰아에 참가하여, 1980년 7월에 티베트 공가 공항에 처음으로 발을 내딛게 된 것이다. 드디어 소년시절의 꿈이 실현되는 감격의 순간이었다.

그러나 티베트 각지를 순방하면서 기대와 꿈이 사라지고 말았다. 티베트 불교의 대사찰은 거의가 사문(寺門)이 굳게 닫혀 있었다. 시야에 들어오는 포탈라궁이 유일한 관광대상이 된 것이다. 기타의 관광대상이라면 그들 중국정부 쪽에 유리한 범위 내에서 보여주는 관제(官制) 관광대상이었다. 중국식 중공 소년악단, 티베트경마, 또 모택동 노선을 추종하는 티베트인 가정방문 등이었다.

한 사찰에 들어가 보니 적적하게 사찰 건물만 노승 3명이 지키고 있었다. 《서장유기》에 소개되어 있는 티베트 문명이나 특색, 전통유산 등은 거의가 손실되어 있어서 아쉬웠고 더러 형체만 잔재가 남아 있었다.

중국공산당의 문화정책의 진의, 그리고 그들의 상투적 타민족 식민지 정책의 참혹상 등을 엿볼 수가 있었다. 나는 인민문화박물관(人民文化博物館)이라는 곳을 참관하고 아연실색하였다. 거기에 무엇이 전시 소개되어 있었는가 하면 달라이 라마 법왕을 위시해서 고승들이나 티베트 귀족계급들이 인민 대중을 착취하였다는 모양의 인형전시관이 인형극처럼 희한한 네온사인 장치로서 오고가는 관광객들에게 보여주고 있었다. 거기서도 치사한 중공정부의 저속한 정책을 드러내고 있었던 것이다.

그후 1984년도 2차 방문 때에는 다소의 변화가 있어서 문화선전은 중지되었다. 이럴 바에는 비꼬는 티베트 사회인형극 대신에 차라리 모택동사상 선전인형극으로 바꾸어 놓는 것이 그들에게는 더 좋을 텐데 하는 생각이 들면서 옛날에 있었던 그들 티베트인들의 고유 전통문화 등이 어디로 사라졌는지 암담하였다.

그러나 티베트인들의 알맹이 문화의 진수는 거의 전부 티베트 망명 피난민들에 의해서 인도, 그리고 기타 나라로 가지고 나간 것이다. 그러한 이유로 저자는 남인도(南印度)로 망명한 밀교학문사(密教學問寺)를 방문하기에 이른다.

1985년에 저자는 티베트 불교 3대 만다라에 접하기 위해서 3년 간을 찾아 헤맸다. 현재는 이미 티베트 본토에는 다시없는 보물급인데 그것이 국외에 나가 있었던 것이다. 인도에 있는 한 티베트사원(규매사)에서는 약 300명의 티베트 승려들이 어려운 식수난 속에서 수도생활을 하고 있었다. 데칸 고원의 우물은 계절에 따라 물이 말랐다.

나는 여기에 와서 다소의 협력을 하였으며 그것은 전동력(電動力)을 이용하는 설비에 도움을 주었다. 이러한 인연으로 후일 법왕인 달라이 라마 친견시 여기에 있는 규매사에서 적극 중간 역할을 해주게 된 것이다.

법왕부에서 9시 30분에 연락이 왔다. 면회가 결정되었다고 하여 11시에 법왕부로 향했다. 자동소총을 소지하고 서 있는 인도군 보초 앞을 지나서 안으로 들어갔다. 인도 정부의 엄중한 경비하에 있는 것이다. 어젯밤에 내린 비로 초목이 진한 녹색을 띠었다. 적막이 흐른다. 물론 티베트 본토에 있는 포탈라궁하고는 비교가 안되는 작은 규모의 양철 지붕집이다. 비교적 넓은 공간에 티베트 고유 전통의 주단이 깔려 있었다. 안정된 공간이었다.

잠시 후에 40세쯤의 작은 키에 흑색의 티베트 복장을 한 비서

실장이며 교육장관인 '텐진 껫시애'씨가 들어왔다. 동행한 세완군이 저자를 소개했다. 다소 신경질적인 인상을 한, 그래도 순박하게 보인 그가 머리를 끄덕거리면서 나를 쳐다보았다.

어제 이미 오늘의 접견을 주선하기 위하여 활불(活佛)스님께서 법왕과 예비회담을 하고 난 후라 저자를 소개하였고 일본 티베트문화협회 대표이고 나의 일본에서의 1987년 행사 내용 등을 법왕에게 보고하였다. 가라차가라와 대일여래(大日如來) 만다라를 전시한다는 계획 등이다.

11시 50분, 드디어 선약의 고승 그룹의 접견이 끝나 나오자 저자 차례가 되었다. 법왕의 거실로 안내를 받았다. 달라이 라마 법왕은 의자에서 일어선 채 미소를 만면에 띠면서 걸어나와 나의 손을 꼭 잡으면서 악수를 하였다. 이분이 바로 텐진 갸초 달라이 라마 14세이다. 티베트인들이 관음보살 후신으로 활불(活佛)시하는 존재인 것이다. 따뜻한 온정이 흐르는 큰 손의 감촉이었다.(번역하는 방육도 여러번 같은 악수를 법왕과 교류하여 저자의 심정을 공감한다.)

안내자의 말에 의하면 감히 티베트인들로서 법왕하고 악수한다는 것은 도저히 상상도 할 수 없는 일이라 설명해 준다. 그런데 본인은 예의도 모르고 하얀 백색 '카닥' 머플러를 법왕께서 주시는 법인데, 거꾸로 본인이 가지고 가서 법왕에게 증정하는 큰 실례를 범하게 되었다.

흰색 카닥은 티베트 고유의 전통의례로서 티베트 사회를 방문하게 되는 경우 사원이나 관청 등에서 상대방에게 환영과 존경을 표해서 주는 풍속이다. 고급의 부드러운 천이다. 거기에는 길

상무늬가 새겨져 있다.

법왕의 인상은 비교적 큰 키에 양 어깨가 넓은 쾌남형으로 누구에게나 호감을 주는 인물이었다. 다소 어깨가 구부정하면서 경쾌한 발걸음을 하였다. 안내인은 티베트어로 법왕과 대화하면서 본인에게는 영어로 통역해 주는 식이었다. 저자는 법왕에게 티베트 3대 컬러 탕카를 증정했다. 법왕은 부드러운 눈빛으로 뚫어지게 바라보았다. 즉 밀교학문사(密教學問寺)의 컬러 탕카인 것이다.

15분이라는 법왕과의 지정된 면회시간이 훨씬 초과하고 말았다. 본인의 저서인 티베트 기행문 사진 중 특히 히말라야 포피를 보시고 감탄하신다. 그리운 눈초리로 법왕은 히말라야의 신비의 약초 등을 바라보면서 침통한 표정을 지었다. 그것은 자신이 지난날 망명길에서 바라본 적이 있어 감개무량한 표정이었다. 후일 그것이 티베트 약초학의 귀중한 식물종이라는 것을 알게 되었다. 그것은 또한 티베트 국민을 상기하게 하는 연상을 불러일으키는 꽃, 식물이었다.

법왕은 어디서 이 귀한 히말라야의 포피를 구하였냐며 입을 열어 물었다. 해발 4,000m 고지인 '야무또구오호(湖)' 부근에 여기저기 많이 흩어져 피어 있었다고 보고하였다. 거기에서 두 송이 꽃을 발견한 추억의 꽃이라고 법왕에게 알렸다. 그러냐고 법왕은 다음 장으로 눈을 돌렸다. 이상한 질문을 저자에게 던졌다. 여기 산중에서 V자 손가락으로 가리키고 있는 뜻은 무엇이냐고 물었다.

나는 말했다. 소년시절부터 일본에서 간행되고 있는 티베트에

야무드크쏘 호수 4,300m 트랜스히말라야의 먼 경치

관한 서적을 빠짐없이 읽어왔다. 그러던 13세부터의 꿈이 오늘 드디어 실현된 것이다. 그것은 1980년 8월에 와서 이루어졌다. 8년 전에 라사 시외 공가 공항에 첫발을 딛은 것이 처음이며, 고산 봉우리에 둘러싸인 산천대하가 티베트 본래의 모습을 지니고 있을 줄만 믿어왔다. 그것은 환희로 변해 V형으로 사인된 것이라고.

그러나 다음날 라사 시내를 둘러보고 티베트와 티베트인의 마음이 그들 중국 공산당 탄압하에서 소실되어 사라지는 실태를 보고 V자의 즐거운 표현 사인이 무색해졌다고 법왕에게 전하였다.

법왕은 아셨는지 공감한다는 표정을 짓고 '응'하면서 'V자 사인 말일세'하고 재차 입을 열었다. 현재로서는 법왕께서 한치 티베트 본토에 권한이 없지만 V자 사인이 불타의 평화적 달마의 승리를 상징하는 것이라 생각하고 계시는 것 같았다. 보잘것없는 저자의 그러한 V자 사인에까지 배려가 있는 법왕의 깊은 생각과 그 예리함에 나는 감개무량할 따름이었다.

그후부터 1995년까지 법왕을 친견하게 된 회수는 열번이나 된다. 열번 가까이 법왕을 친견한 가운데 1989년에 있었던 친견 때는 일본 종교학자인 베다 연구가인 마루야마 박사하고 동행했다. 마루야마 박사의 주장은 전통적 티베트의학은 그들의 문화가 아니고 인도의 전통의학인 베다의 사본이라고 주장하는 사람이다. 그것도 알 수 없는 역사적 사실이어서 아니라고 부정할 수 없는 상관관계가 있을 수 있다고 보아도 될 것이다.

또 다른 측면에서도 고찰해 본다면 중국 한방의학을 주축으로 하는 흐름과 인도 베다의학과 아랍의 유나니의학의 아시아 3대 의학이 섞인 것이라고 보기 어렵다. 저자의 견해로는 그것이 아니라 전통 고유한 티베트의학이 옛날부터 전해져 와서 아시아 4대 의학을 형성하고 있었음을 주장하고 있었던 차에 법왕에게 직접 질문을 던져 보았다.

달라이 라마 법왕은 수년 전에 한때 그의 건강을 잃은 적이 있어서 주치의에게 매일 쓰아(진맥)를 받은 적이 있었다. 거기에는 마침 서양의학을 공부한 양의(洋醫)도 있었으나 쓰아를 가지고서 건강진단을 내리는 힘이(지식능력) 없었다.

물론 중국 한방의학도, 또 인도의 베다의학도 귀중한 의학임은 인정하나 비슷한 유사점은 있어도 정밀도(精密度)에 있어서는 우리 티베트의학을 못따라가는 것 같다고 말한 적이 있다. 당신의 이러한 점에서 건강이 안 좋아서 결국 티베트 의사의 처방에 의거하여 티베트약을 잠시 복용하니 곧 정상으로 건강이 회복되었다고 법왕은 실증해 주었다.

물론 서양의학처럼 약효가 속히 나타나지는 않았어도 서서히 일어나는 현상에서 자연건강을 회복시키는 데 서양의학보다 효능이 좋은 것 같다는 뜻이었다.

현재 다람살라에 있는 의료원말고도 2, 3개소가 또 있다, 거기에는 인도인 환자를 비롯해서 다른 외국인 환자들도 서양의학으로 치유되지 않아서 찾아와 큰 효과를 보고 가는 것을 보아도 티베트의학의 우수성을 사실 그대로 증명하는 것이 아니겠는가, 그러나 당신 야마모토 박사께서도 우리 티베트의학을 연구하셔서 일본으로 가져가 소개하시는 것이 좋지 않겠느냐고 법왕께서 권유하셨다. 이러한 이야기들이 달라이 라마 법왕과 저자 사이

달라이 라마 법왕(가운데)과 역자(譯者) 방육(왼쪽)

에서 대화로 오고간 것이다.

또 말씀하기를, 수석의사인 텐진 조다구 박사가 하루 속히 중국으로부터 망명해 넘어오는 날을 기다렸다. 쓰오도유라는 고귀약(高貴藥)을 제조하는 데 그가 있어야 되기에 무척 고민해 왔다. 드디어 그도 망명에 성공, 여기로 오게 되어 조다구 박사 덕택으로 현재 고귀약(쓰오도유)이 제조되고 있다. 고귀약을 제조하는 데는 수십종에 달하는 약초·광물성·동물성 등의 약재(藥材)가 들어가야 한다. 약물 제조법도 티베트의 독특한 전통방식으로 만들어지기 때문에 쉬운 일이 아니다. 제조 과정만 3개월이 소요된다고 법왕은 설명해 주었다.

이때부터 저자는 티베트의학을 적극적으로 연구 조사하기 시작하면서 일본판(日本版) 티베트의서를 간행하기 위해 조사에 착수하게 되었다. 1990년 인도에 있는 티베트 사원 규매사 대강당에서 대불개안법회(大佛開眼法會)가 있었을 때 달라이 라마 법왕으로부터 의서에 관한 서적(의전) 티베트판과 영문판(英文版)을 받아온 것이다.

이미 1987년 9월에 일본에서 공개된 바 가라차가라에 만다라를 전시하면서 그의 문헌(文獻)을 조사하는 동안에 알게 된 사실은 의학 분야의 다양한 접점을 지닌 티베트 밀교의 많은 내용에 새삼 놀라지 않을 수 없었다. 석가모니 불타의 가르침이 후기 티베트에서 꽃핀 바 밀교 안에서 위대한 의학의 요소가 엄연히 내재되어 전승되어 온 것이 사실인 것이다.

제 2 장

티베트의학의 위치

1. 티베트의학의 진단법

달라이 라마 14세 법왕 수석 시의인 텐진 조다구 박사는 현대 티베트의학계의 최고봉에 위치하고 있는 인물이라는 점은 이미 앞에서도 소개하였으므로 그의 인물을 잘 이해하리라 믿는다. 저자가 1992년 2월에 직접 개인교수를 받았을 때에도 그는 시종일관 문제가 된 것이 바로 '쓰아'라고 하는 티베트의학 고유의 진단법이었다.

중국인들은 '쓰아'를 맥진(脈診)이라고 번역하고 있으나 저자는 이에 역명(譯名)을 부인(否認)한다. 왜냐하면 중국식으로 번역하다 보면 '쓰아'라고 하는 개념과 그 내용이 아주 협소한 해석이 되기 때문이다. '쓰아'는 어디까지나 '쓰아'이기 때문이다. 그 개념을 맥(脈)이나 영어로 pulse, 독일의 puls 등으로의 선입관(先入觀)으로 해석하려는 것은 잘못하기 쉬운 것이기에 역시 '쓰아' 그대로의 원의(原義)로 이해하는 방법밖에는 없는 것이다.

'쓰아' 진단법은 혈관의 흐름인 박동(搏動)과 동계(動悸)뿐 아니라 '백(白)쓰아'라고 표현되는 신경계통까지도 검진이 가능하기 때문에 소위 불교에서 말하는 각 개인의 업장까지도 '쓰아법'으로 볼 수 있는 바 넓은 분야에까지 볼 수 있다는 것이다.

암(癌)이라고 하면 문자상으로나 말만 들어도 누구도 좋아하지 않는 단어이다. 암이란 현대병 중에서도 사람들이 가장 싫어하는 병 중의 하나이다. 그럼에도 불구하고 친지나 주위 사람들에게서 암에 걸린 사람들을 쉽게 볼 수가 있다. 여기에 대한 공포와 불안이 누구에게나 있다. 과연 나는 암으로부터 자신있다고 말할 수 있는 사람은 몇명이나 될 것인가. 그러므로 본인 가족이나 친지 중에 이러한 암환자가 발생했다면 이것 또한 근심걱정이 이루 형용할 수 없을 것이다.

이러한 암성 질환자들 중 어떤 사람들은 의사로부터 통보도 받지 못한 채 귀신도 모르게 사라져 간다. 이것은 사회적으로도 다소 문제가 발생하는데 인간 기본양심에 입각해 보아도 그러하다. 이 점은 각국마다 여기에 대한 인식과 선악에 대한 인식의 사고방식이 달라서 환자 본인에게 통보하는 것이 좋은지 나쁜지가 아직 분명히 정립되지 않은 것도 사실이다. 동양인들과 서양인들의 문화적 차이, 생활습관과 종교관 등의 차이점이 바닥에 깔려 있기 때문에 차이가 생긴다고 볼 수 있다. 상식적으로 암은 대부분 조기 발견하여 손을 쓰면 죽음을 면할 수도 있다.

그러나 많은 암환자가 초기가 지나 말기인 경우가 허다하다. 전문 암병원의 통계로 본다면 현대의학을 총동원해서 수술을 해보아도 완치가 어렵고, 수술 후에 대부분 환자들의 생존기간이 수년을 넘기지 못하는 경우가 다반사처럼 인식되어 있다. 최선

최상의 각종 항암제의 투약이나 링거 주사 등이 있으나 마지막 날까지 강력한 항암치료제 사용으로 부작용을 일으켜 결국 고통 속에서 거의 끝을 맺게 되는 것이다.

이러한 악성 종양을 역사적으로 고찰한다면 남미나 이집트 같은 고대문명의 문서나 그림을 보면 미라 안에 골육종(骨肉腫)이라고 관찰되는 경우도 있다. 고대 미개문명(未開文明) 시대에는 이러한 질환은 신이나 악마의 작용으로 중세까지도 그렇게 알면서 무인(巫人)들이 굿하는 형식으로 병마와 싸워온 것이다.

그러나 그리스의 의성인 히포크라테스는 주장하기를 암이란 인체비장에서부터 분비되는 바 흑색 침출액(浸出液), 혈액, 체액, 담액 등의 소위 밸런스가 깨져서 일어나는 결과라고 본 것이다. 물론 100% 정확하지는 않아도 이것은 자연섭리상으로 보아서 의학계 최고의 견해라고 볼 수 있는 것이다. 즉 지금으로부터 2300년전 이야기이다.

악성 종양이 유전성이라든가 환경의 원인이 아닌가 하는 것은 훨씬 후세의 이야기이고, 중세에서는 암의 가계나 촌락이 따로 있어서 금기시되어 왔던 것이다.

1775년 영국인 생리학자 보도씨가 과학적으로 암을 연구한 결과 런던 시내에서 굴뚝 청소하는 소년 청소부로부터 그들이 20대에 가서는 다른 동년배들보다 높은 율의 음성 암환자로 사망하는 것을 목격 발표한 바 있다. 이 연구 발표는 암세포가 장기간에 걸쳐서 인체 내에 잠복하면서 점차로 증식된다는 결론인 것이다.

그러나 지금껏 현대의학은 아직껏 암에 대한 완벽한 대응 치료법을 확립시키지 못하고 있는 것은 사실이다. 그러나 21세기에 가서는 인지(人智)의 총력을 결집해서 암에 대한 대응법이 나올 것이라는 기대를 가져보고 싶다. 더불어서 AIDS가 인류의 존망을 위협하고 있는데 이것도 21세기에 한가닥 희망을 걸어보고 싶다. 기타 심장질환과 순환기계의 치료가능성도 기대되고 있는 것이다.

사람이 생을 얻어 죽음을 맞이하는 데까지의 인생은 어떠한 의미에서 본다면 건강을 위협하는 병과의 싸움이라고도 볼 수 있는 것이다. 현대 의학이 총력을 기울인 결과 고대로부터 난치병이라고 한 암이 점차 약해져 가는 기미는 엿보이면서도 여전히 1989년 통계로 본다면 일본인의 사망률이 약 79만인으로 추정된다. 그 중에 21만 명이 암환자이기에 일본인 사망자의 4분의 1이 암환자가 차지하고 있다.

저자의 견해로는 암환자의 증가와 사망은 갈수록 더욱 늘어날 것이며 감염이 많이 되어가는 주원인으로서는 동양인이 점차적으로 구미식으로 생활(식생활, 주거생활, 관습, 사고방식, 인생관)화 되어가는 데서 고유한 전통성에서 벗어나는 경향도 영향을 받는 것 같으며, 위암, 폐암, 대장암 등도 증가일로에 있는 것이다.

거의가 수술치료 후에 전이가 되어 한 가지 암이 치료되어도 동일한 시기에 제2, 제3의 다른 병을 유발하는 것을 목격할 수 있는 것이다. 이것을 의학계에서는 다중암(多重癌) 혹은 다장기중복암(多臟器重複癌)이라고 부르며 고령화와 진단기술의 미숙으로 이러한 경향은 증가일로에 있는 것이다.

일본 후생성 조사에 의하면 명치(明治)에서 소화(昭和)년대까지 많았던 간염, 기관지염, 결핵 등의 사망수는 줄어든 반면에 태평양전쟁 후부터는 암질환자, 심장병, 뇌혈관질환 등이 성인병으로 사망하는 증가추세를 관찰하게 된 것이다. 1981년 통계로는 단연 사망률(암질환계)이 선두를 달리며 사망자 수가 21만 2,625명으로 증가하게 되었다. 물론 위암의 경우 조기 발견은 기본적 외과수술로서 완치가 가능하기도 하다.

폐암도 조기에 발견하면 70% 이상 완치되는 경향을 보이고 있다. 불행하게도 대장암의 조기 발견이 대단히 어려워서 무통(無痛) 무감각(無感覺) 사례가 많아서 환자 자신이 조기 발견해서 치료하는 기회를 놓치게 되는 것이다. 비슷한 것이 간암이다. 이것도 침묵의 장기로서 의사와 환자가 같이 조기 발견에 실패하는 경우가 많이 발생한다. 특히 간질환에 무관심을 보이는 사람들이 많다는 것도 특기할 만하다.

암에 걸렸을 때 치료방법은 주로 외과 수술을 비롯하여 부작용이 많은 항암치료법, 그리고 한방약 등이 총동원되어 암으로부터 벗어나고자 사력을 다하고 있는 것이 현 실정이다. 저자가 여기에서 말하고 소개하고 싶은 것이 바로 티베트 약물 중에 암을 정복하는, 즉 티베트약을 복용함으로써 말기암으로서 치료가 불가능한 버림받은 환자가 내복약을 복용함으로써 완치된 경우를 자주 목격하고 있는 것이다.

1995년 5월에 저자는 티베트 병원장하고 이러한 문제를 가지고 의논한 결과 현재 인도 대재벌에 속하는 TATA에 속한 과학연구기관인 메디컬센터하고 협력해서 제암성약물(制癌性藥

物) 개발 생산면에 관해서 검토 조사 연구중이다.

첫 조사과정으로 인도 전역에 산재하고 있는 티베트계 병원과 진료소에서 우선 통계를 받아 가지고 분석 검토한다는 것이다. 반면 최근에 들어와서 티베트 의성인 텐진 조다구 박사가 구미 각국을 순방하면서 말기 암치료에 관해서 공헌을 하며 좋은 성과를 올리고 있다.

현대의학에서의 항암제 사용치료법이 대단히 효력이 없다고 판단되기에 오히려 이러한 항암제의 투약으로 인해서 병증이 심화되어 쓰러져 가는 것을 흔히 목격하는 바이다. 이것도 일본은 후생성(약사심의소)에서 조사한 약물인데도 많은 해독을 안겨주어 사망으로 이끄는 것 또한 사실이다.

티베트 약물만이 암치료에 유일하게 효능이 있다고 말하고 싶지 않다. 그러나 틀림없는 사실은 결과적으로 현대의학인 내, 외과에서 버림받은 환자들이 속속 티베트약을 복용하고서 건강한 자연인체로 회복시킨 예가 허다하게 보고되었기 때문이다. 원래부터가 티베트 계통 의약물이지 암치료제로 개발된 것이 아닌데도 효능이 발생한 것이다.

티베트의학을 단적으로 표현하자면 과학과 종교, 그리고 정신과 물질과의 접목을 시도하는 초의학적 존재이기도 하다.

저자와 법왕의 수석 시의인 조다구 박사와의 최초의 만남은 1987년 4월이었다. 5년 후인 1992년 2월, 그해 4월과 5월, 그리고 10월까지 전후 3개월 간을 그로부터 집중적으로 티베트의학에 관한 강의를 수강할 수가 있었다. 1993년에는 조다구 박사를 일본으로 초대해서 일본의학계 교수 박사급 인사들과 연구발표회도 가졌다. 그뿐더러 일본 의학약학계 연구진들로 구성된 조사팀이 약초학 실지조사차 서히말라야 해발 4,000m부터 5,000m에 이르는 산악지대로 약초채집에 도전하기도 했다.

1993년과 다음해 8월 두 차례 가기도 했다. 박사가 고령으로 등반이 어려워 대신 인도 뉴델리에서 의료활동을 하고 있는, 그곳에서 의료소를 개발하여 많은 인도인의 높은 평가를 얻고 있는 신진 여의사인 '도루카 강가루' 선생을 보내어 그녀의 지도하에서 히말라야 마리를 출발하여 로단바스, 따루차 등 고지에서의 약초채집행에 동행하여 여의사의 강의도 현지에서 받았다.

1994년 4월에서 5월에 걸쳐 뉴델리 그의 병원에서 계속적으로 티베트의학에 관한 임상의학을 현지의 견학과 강의를 겸해서 실행되기도 했다. 1995년 4월부터 5월에는 법왕이 상주하시는 북인도 다람살라 메디컬센터에서 법왕 시의의 한 사람인 왕겔박사로부터 '정신의학으로서의 고찰'이라는 명목으로, 그리고 여의사 따와 초댄은 '일상진료 시스템'에 관해서 논의가 있었다.

뉴델리 병원에 가서는 특히 다무띤 박사의 《규씨이》에 설명된 임신도설에 관해 검토를 계속하였다. 또 아랍계인 의료센터와 의과대학 등 연구시설도 구경하고 소장인 핫기이무싸이뿌 박사와도 만나 티베트의학과의 접점을 조사하기도 했다.

2. 토번(吐蕃)왕국과 의학〔역사〕

티베트의 역사는 유사 이전의 역사가 있었던 것으로 전해지고 있으나 정설은 확립되어 있지는 않다. 적어도 야루룽 왕조 32대

혹은 33대라고도 하는데 감뽀왕의 시대부터 역사는 정확하다고 보고 있다. 초대 왕이 탄생한 것은 581년으로 추정하고 있으며 이 왕조는 히말라야의 대하(大河)인 야루쑤안뽀하(河) 남방지대에서 다소의 농업과 목축을 하면서 생산력이 증대되자 주변에 그의 세력을 확대하여 여러 부족들을 제압하면서 무력으로서뿐만 아니라 경제문화면으로도 정책을 확립하면서 정권을 확대시켰다 한다.

감뽀왕은 토번국의 시조로서 후세에 불교법왕적으로 수식(修飾) 상징되어 32상과 80종의 불상인 원만구족상을 구비시키게 되었다. 무상심오한 미묘법과 일체공덕을 갖춘 좋은 상이라고 존경을 받았다. 감뽀왕은 13세에 왕위에 올랐다 한다. 국왕의 옥좌(玉座)는 현재 라사시에 있는 포탈라궁에 정한 것으로 역사는 전하고 있다. 솔직히 말해 감뽀왕은 불교신자는 아니었으나 그의 존재를 객관적으로 보아 여불(如佛)의 대상으로서 그의 왕권을 장식하였으니 후세의 티베트의 기초가 될 정치·군사·문화·경제 등 각 방면을 확립시켰다고 보는 것이다.

정권력의 확대는 남방으로는 네팔, 동북방은 황하 상류지대까지, 티베트 동부 감 지방, 남서부는 중국의 사천성(四川省)과 운남성 지역까지 통하여, 북부는 광대한 칭짱 고원으로 그 세력을 확대하였다. 그가 점유한 공간은 광대하며 약 380만㎢에 달했다 한다. 일본의 약 10배가 되는 영토인 것이다. 그러나 인구는 늘지 않았으며 500~600만 정도였다고 한다. 위도는 일본의 오키나와 북부와 같으며 한기(寒氣)와 황량한 불모의 땅은 아니었던 모양이다.

예부터 지리학상으로 보면 아랍과 인도, 더 나아가서 네팔과 운남 지역, 또 북방의 몽고까지도 교역 루트가 열려 있었기에 주변국과도 빈번한 교류가 있었던 비교적 편리한 땅이었음을 알 수 있다. 그에 관한 역사적 고증으로서는 각종의 유물, 문물 등이 고대로부터 티베트에 전래되어 티베트의학사적으로도 무술적(샤머니즘)인 원시종교에 기초를 둔 종교적 의료법(히링)이 더불어 각 부족들간에서 전해지는 민족 고유의 민간전통 치료법 등이 중복되어 내려온 것이 티베트의학을 연구하는 데 우리의 관심을 가지게 한다.

티베트를 통일시킨 33대 감뽀왕이 즉위한 것이 629년이다. 그의 치세는 20년 간이고 649년에 입적했다. 그의 전왕인 32대의 손쓰앵왕은 용맹스러운 티베트군을 지휘하여 초당(初唐)시대의 중국을 침입한 바 있다. 또한 그는 인도 북부부터 서방 페르시아 방면에도 판도를 확대하여 그 영향하에 들게 하였다. 손쓰앵왕은 티베트 사상 최대의 제국을 구축, 중국, 인도 등지에 사신을 파견하는 등 세계 도처에서 유능한 인재를 초청하기도 했다.

당시 중국은 당(唐)나라 시대를 맞이했고, 일본은 서명(舒明)천황의 백봉(白鳳)시대에 있었다. 즉 천지(天智) 천황이 대화(大和)의 왕조를 열었던 시대였고, 유능한 현장(玄奘)법사가 인도로 법을 구하러 출발했던(629년) 때이다.

710년에는 당나라에서 금성(金城)공주를 왕비로서 영접하는 정도의 국력을 떨쳤고, 공주가 왕비로 시집올 때 중국으로부터 의학서와 천문점성술에 관한 서적을 가져왔다. 8년 전에 손쓰앵왕의 왕비인 문성(文成)공주가 시집올 때에도 중국의 문물을 가져왔다. 그리하여 처음으로 중국문물에 매력을 가지게 되어 상호간의 교류가 성황을 이루게 된 것이다.

왕의 치세가 50년이나 장기집권을 하였으며 왕의 서거 후 후세의 영명한 불교신자인 대씨앵왕이 즉위하니 그는 독실한 불교인으로 불교를 잘 보호하는 데 큰 공덕을 쌓았다. 다른 한편으로는 중국에 침입하여 당나라 수도인 장안을 점령하기도 했다. 때는 763년이었다. 775년에는 유명한 사찰인 사무애사(寺)의 건립에 착수하였다.

그 진토제(鎭土祭)에는 밀교를 처음으로 티베트에 전파시킨 고승인 꾸루 림포체라는 존칭을 받는 파드마삼바바가 참석한 바 있다. 역시 사무애사 창건에는 국왕의 절대적인 협력으로 완성하게 된 것이다.

그뿐더러 왕은 786년에 중국불교사적 가치를 인정받는 돈황을 수중에 넣었으니 바야흐로 티베트 제국의 융성했던 시절이라고 보아도 될 것이다. 특기할 것은 이 시기에 티베트의학계에 큰 행사가 있었으니 바로 사무애사에서 국제 의학자대회를 열어 국제급 의사와 학자들의 교류에 의한 국제회의가 개최된 것이다.

여기에 관해 법왕 주치의 텐진 조다구 박사의 말에 의하면 회의에는 티베트 각 지방에서는 물론이고 주변국인 중국, 네팔, 몽고, 인도, 페르시아 등 각지로부터 의학자, 의사들이 운집하여 156항목에 달하는 내용을 가지고 논의를 하였다 한다. 1항목마다 5장 전후의 기록보고를 기술하여 약 780장을 완성하였다.

이러한 결과적 논문을 토대로 삼아 티베트의학(민족의학)에

도입시켜서 티베트의학의 본류를 정립하게 되는 계기가 되었다. 여기서 중추적인 역할을 한 인물은 대씨엔왕 측근자인 유도우닌 마윤댄곤보라는 인물이라 한다.

이러한 거창한 의학자의 국제 세미나가 히말리야 오지(奥地) 티베트 같은 산간 벽지이고 생소한 나라에서 당시 개최되었다는 사실은 문화적 차원에서 보아 특이할 만한 행사였다고 시인하지 아니할 수 없는 것이다.

이러한 관점에서 본다면 당시의 히말라야 산중 오지 행로나 교통상태가 티베트 제국 세력 확대로 인하여 도로문화도 비교적 발달되었으리라 생각된다. 상술한 장려(壯麗)했던 대사원인 사무애사도 1959년 중공군의 침공으로 파괴되고 말았으니 그의 예술적인 문화가치는 종교적 측면에만 아니라 세기적인 문화의 전당이었음을 인정하면서 아쉬운 마음 금할 길 없다. 이러한 점을 종합적으로 감안할 때 티베트인들의 국제적인 감각이 보통이 아니었음을 직감할 수 있는 것이다.

유럽은 789년대에는 아직 미개발시대였고 페르시아는 사라센 문화의 개화기였고, 페르시아에서는 의성(醫聖) 카레스라는 사람이 나와 티베트 대회에도 참석한 것으로 전해지고 있다.

페르시아 의학은 예부터 그리스나 로마하고도 상호교류가 있었던 것으로 이슬람 시대에는 독자적 체계를 완성한 것으로 보여진다. 주변국으로부터는 의학체계가 가치있는 것으로 평가되기도 했다. 카레스 박사는 한때 티베트 국왕의 시의(侍醫)로도 부임한 바가 있다고도 전해진다.

뿐만 아니라 티베트의학도들의 교육을 담당하기도 하였다. 조다구 박사의 말을 빌리면 티베트의학에도 미친 영향이 커서 티베트 고유의 《규씨이》와 탕카 작성에도 적지 않은 영향력을 미쳤을 것이라고 그는 지적한 바 있다.

이러한 과정을 거쳐 중국 고대의학과 페르시아 의학, 그리고 인도 의학 등 광범위한 의학술적 지식과 기술을 흡수하면서 점진적으로 티베트의 고유 전통적 독특한 의학이 정립된 것이다.

당나라로부터는 문성공주를, 네팔로부터는 지쓴왕녀를 왕비로 맞이하면서 중국과 네팔의 문물·문예·종교·건축 기술 등이 적극 도입, 실시된 것이다. 그런가 하면 티베트쪽에서도 인도국으로 산보다 등 인재를 유학시켜 파견하는 등 아시아 전역에 걸친 문화를 자국에 흡수시키기 위해서 적극 노력을 기울였던 것이다.

한편 당나라와는 항쟁이 150년이나 계속되었으며 운남(雲南)으로부터 북방 청해(靑海)까지 전선을 확대하는가 하면 하서(河西)지방을 제압시키면서 티베트제국을 건립시킨 것이다. 당시 인도는 굽타 왕조가 100년 전에 끝나고, 갈기야 왕조, 만도루 왕조시대에 에후다루의 침공을 받는 등 불안정한 시대였다.

자연히 북인도 일부는 티베트 영향권하에 들어 있었다. 그리하여 티베트 국왕의 정치적 군사력 등이 타민족의 문화를 전리품으로 가져오는 결과를 초래하게 된 것이다. 동쪽은 중국, 서쪽은 아라비아, 그리고 남쪽은 네팔이며, 인도쪽으로부터 관찰하여 본다면 티베트라는 나라가 여러 가지 면에서 만만치 않은 매력적인 제국으로 등장하게 된 것이다.

이러한 상황하에서 고찰한다면 중국으로부터는 불교와 도교가 들어왔으며, 다른 방향으로는 인도와 네팔의 불교가, 그리고 서방 페르시아의 문화의 과학적 기술 등이 티베트로 전래된 것이다. 문화의 원천적 흐름이란 국경을 초월, 흐르는 물같이 흘러들어가고 있는 현상을 바라보면 무심코 흐르는 것이 아님을 알 수 있을 것 같다. 7, 8세기의 티베트 사회는 그러한 풍요한 타국 이질적 문화가 사방팔방으로 흘러들어오는 외교문화 흡수시대였음을 알 수 있는 것이다.

유두 닌마 윤댄곤보

특히 티베트의학 한 분야만 보더라도 티베트의학과 의료기술도 이러한 시기에 집대성된 것이다. 즉 바로 이 시기가 개화기였음을 능히 고찰할 수 있는 것이다. 그것은 마치 역사적 동시성 현상으로, 즉 로마 제국도 그와 같아서 로마가 지배했던 타민족 국가로부터 포로와 전리품으로 그들의 의학과 의료기술 등을 들여온 것과 동일한 역사적 사실인 것이다.

티베트의학의 시조라고 불리우는 의성 유두 닌마 윤댄곤보는 이미 8세기에 티베트의 사부 의전(醫典) 《규씨이》를 결집한 창시자이기도 하다. 그러나 그가 티베트 의전을 집대성하기 이전에도 이미 티베트 각지에서부터 전승되는 여러 가지 민간요법이나 약물 등이 임상에 사용, 실천되어 온 것은 틀림없다고 내다

보는 것이다.

이러한 각 부족들의 전승의학은 목축과 농경사회에서 일어난 경험의학으로 확립되었고, 풍토병 치유에도 나름대로의 의학으로서 초근목피(草根木皮)나 동물성 혹은 광물성 약재까지도 다양하게 혼합해서 사용되었음을 짐작하게 된다.

그러므로 진단(診斷)과 의학기술면에도 다소의 차이가 생길 가능성도 배제할 수 없다. 티베트의학도 양분되어 북방계와 남방계로 의학유파가 나누어질 가능성도 엿보인다.

결과적으로 이러한 차이가 나는 계통의 의술도 자연히 티베트 민족통일이 이루어져 가는 단계에서 의술도 통일민족의 발전단계로 중앙으로 집약되어 갔음을 알 수 있는 것이다.

그리고 국제의학교류회의를 사무애사에서 개최한 것도 당시의 상황으로서는 티베트 제국이 국력을 신장하는 새 바람을 일으킨 국가 사업의 하나였던 것이다. 나아가서는 이러한 것이 티베트 왕권이 민중과 각 사회에로 침투해 가는 성과의 하나인 것이다. 이러한 성과는 오로지 티베트의학의 시조인 천재적 의성인 윤댄곤보의 공으로 집약된다고 보는 것이 타당할 것 같다.

의성인 그는 8세기에 중앙 티베트 라사와 가까운 시골에서 태어났다. 3세 때 부모로부터 문자 학습을 받는 천재적 소질을 가졌고 동시에 의학도 공부하게 된 결과 아버지로부터는 약사여래라는 호칭을 받기도 했다. 이때의 나이는 겨우 10세, 즉 최고의학의 전수와 인정을 증득하게 되었던 것이다. (역자인 방육 스님도 러시아 연방인 칼미크 공화국에서 이러한 신동을 만나서 한두 번 치료를 받은 경험이 있다. 그는 당시 13세 소년으로서

심령치료법으로서 여러 난치병을 치료하고 있었다. 아침 묘시(卯時)에 진료를 한다. 맥진(脈診)으로 병명을 알아내면서 동시에 시술치료를 하는데 13세 소년 의사가 자가용에 전용 운전기사를 두고 있었으며, 대단히 유명해서 며칠 전에 예약 신청을 하고서야 면접이 가능했다. 13세 소년답지 않게 정장을 하고 모든 몸가짐과 언어 행동함이 성인처럼 이미 성숙했고, 곧 티베트 달라이 라마 법왕이 계시는 다람살라로 승려의사가 되기 위해 티베트로 유학간다고 했다. 나는 그가 틀림없이 전세의 명의가 죽어서 이 세상에 다시 태어난 림포체라고 생각하였다).

티베트 대씨앤왕의 왕자가 10세가 되는 그를 하루는 사무애사로 초대하고 다른 의학자들과도 토론을 시켜 가면서 그의 능력을 시험하기도 했다. 그때 문답한 것을 거의 논파하여 많은 사람을 놀라게 했다고 전해지고 있다. 그리하여 일약 유명한 의학자 9명 안에 들게 되었다고 한다.

이러한 의학자 9명 가운데는 당나라에서 온 사람 한명과 인도에서 온 의사들이 날카롭게 어린 그에게 질문공세를 퍼부었다고 한다. 그러나 그는 즉석에서 답을 줌으로써 승리하게 되었으니 그들로부터 높은 경의를 받으며 9명 중에서도 최상위 자리를 확립하는 데 성공한다. 그리하여 그는 바로 약사여래의 전생자라는 놀라운 평가를 한몸에 받게 된 것이다.

이러한 점을 저자나 역자인 나 자신(방육)이 고찰하여 본다면 인류가 씨족사회로부터 출발하여 국가사회를 형성해 가는 데 있어서 의식주의 문제, 거기에 수반되는 위생과 의학적인 테마가 종교와 표리일체가 되어 있는 것이 일반적인 상례이다. 티베트의 경우도 그 사회의 기반이 목축과 농업에 두고 있는 부족과, 주위의 각 민족들이 영위하는 생산기술과 토속적 종교 신앙형태가 자연환경과 융합되어 가는 과정에서 교류되어가는 문화현상이라고 보는 바이다.

티베트에서 불교가 전체적으로 등장하는 것은 사무애사가 건립된 775년 조금 전부터였다. 불교 발생 이전에는 그들 나름대로의 독특한 본교(一教)라고 불리우는 종교가 있었는데, 불교가 티베트에 정착하기 이전에 있었던 토속적 민간신앙이다.

그러므로 의성(醫聖)인 윤댄곤보가 출현한 당시의 티베트의학은 즉 국제사회에 인정을 받기 시작된 시기에 본교의 기복적 신앙과 민간에서 전승된 의료가 융합되면서 당시 외래도입된 외래문화의 의료와 자연적 연결되던 중요한 시기였던 것이다. 티베트의학계의 르네상스 시대라고 보아도 좋을 것이다. 이러한 시대적 흐름에 따라서 고유한 본교는 서서히 자취를 감추고 불교가 대신 탄생하기 시작했다.

곤보 의성은 대씨앤왕과 그 전왕 2대에 걸쳐 시의가 된다. 25세 때 그는 인도로 가는데 전후 세 차례 유학을 하게 된다. 잔드라뻬도에게 사사(師事)하면서 인도 의학을 습득하고서 중국 오대산으로 가서 문수사리보살로부터 계시를 받고 당시의 중국 의학도 티베트로 들여온 것으로 전해진다.

결국 티베트의학은 그들의 민족적 전승의학을 토대로 중국적 의학과 인도의 의학 등을 가미시키는가 하면 거기다가 페르시아 의학까지도 합류시키는 등 국제적 존재로서의 의성으로서의 면모를 남기고 있는 것이다. 사무애사에 주석하던 6명의 의학자가운데 한 사람인 인도의 학자로부터도 인도의서(醫書)를 통해서 《규씨이》 기초를 만들어서 제자들에게 전하기도 했다.

그의 수제자인 영재 곰도대걍을 친자식처럼 사랑하며 3명의 자식과 동등하게 대하고 사랑하며 육성시켜 그의 의술을 계승시켰다. 당시 티베트의 풍습으로는 그러한 가업은 자식 한 사람에게만 전승시키는 관습이 있었으나, 그는 그러한 전통을 무시하고 4명에게 평등하게 그의 심오한 의술을 계승시켰다 한다. 이것은 아주 특이한 일로 감탄하는 바이다.

이러한 곤보의 전통의학은 8세기부터 12세기까지 무려 400년을 면면히 계승되어 왔으며 12세기에 가서 그의 자손인 '유두센마 윤댄곤보'가 출현하게 된다. 초대로부터 13대째가 된다. 센마란 새롭다는 뜻으로 닌마의 헌 것이라는 것과 대비되는 호칭이다. 그는 안싼 지방의 걋체에 가까운 얀두우의 고시레탄에서 태어났다. 13대 의성(醫聖) '윤댄곤보'는 12세기에 생존한 인물로서 8세 때부터 의학을 습득했으며 10세 때에 승려 의사인 '겟새로부댄'으로부터 《규씨이》를 처음 배웠다. 18세에는 인도로 유학을 가고, 6차례나 방문했다. 인도에서는 여학자인 자라가 의사로부터 인도의술을 공부했다.

당시 성지인 붓다가야에는 100명 가까운 대학자들이 있었는데 그 중 의학계 학자들로부터 제일 탁월한 의학자로서 찬사와 존경을 받았다고 한다. 티베트로 돌아와 사경을 헤매는 많은 위독한 환자들의 생명을 구제하였으며, 많은 의서도 저술하는 등 새롭게 티베트의학에 변화를 주고 부흥시키는 데 큰 공헌을 하였다.

그의 제자 중 중심인물은 두 사람이 있었고 다른 많은 제자들이 그의 의학을 발전 계승하였다. 그는 77세에 세상을 떠났다. 8세기부터 시작된 '윤댄곤보'가의 의통(醫統)이 그의 손으로 11세기에 내려와 제대로의 티베트의학을 집대성시킨 공로의 인물로서 막을 내리게 된다.

이렇게 본다면 티베트의학은 단순히 중국와 인도의 의학을 그대로 받아들인 것처럼 볼지는 몰라도 결코 그렇게 간단하게 볼 수가 없다.

일본 대곡대학(大谷大學) 교환교수로 와 있는 티베트 학자인 쓰루댐게산 교수에 의하면 '다소의 영향을 받은 것은 사실이나 티베트의학은 독자적으로 발전된 것'이라 한다. 특히 티베트 고유의 '쓰아' 진맥법은 이미 8세기에 닌마 윤댄곤보에 의해서 확립된 진단법으로 비밀리에 구전으로 전승된 것이라 한다.

티베트 의학서인 《규씨이》에 관한 주석서는 그후 많은 주석서가 나오기도 했다. 이것은 티베트 각지의 토속 민간의학과 전통적 민족의 고유한 전승치료법 등이 티베트 밖의 타국 기술과 접촉되어 변용되면서 발전된 과정을 경험의학적, 혹은 임상적인 시점에서의 해석이 여러 가지 기술되어 있다고 보는 것이다.

쓰루댐게산 교수,
일본 대곡(大谷)대학

이상이 티베트의학사 제1기이며, 그 후 13세기 이후부터는 더욱 발전해 나가면서 제2기로 들어가게 되는 것이다.

3. 티베트의학의 독자성

티베트 왕국의 성립과 발전 중에도 다른 문화부문과 접촉하면서 그의 기반을 형성하게 된 과정은 이미 설명한 바 있다. 중기로 들어간 티베트의학사의 흐름은 두 갈래로 나누어진다.

하나는 잔바 유파(流派)이고, 다른 하나는 스카라 유파라고 불리운다.

창시자들은 동시대 사람들이었으며 두 유파를 합하여 잔스루우라고 호칭한다. 이들은 인도계의 의학자 뽀돈씨로부터 의학강의를 들었다. 뽀돈씨는 당시 고승으로서 1375년대의 의학자이기도 했다. 티베트의학사에서 보면 가장 많은 의학 저서를 남긴 사람이기도 하다.

뽀돈파는 그의 사후에 그의 처가 그의 의학을 계승하게 되니 그후부터는 그녀가 명의로서 명성을 날리게 되고 그 이후부터 티베트에서는 여성의 활불(活佛)들이 계통적으로 출현하게 됨을 관찰할 수 있다. 이러한 여성 활불들이 아름다운 호반의 명찰인 바루모조애딘사 종정으로 취임하는 등 활불로서 활동하였다.

현재 생존자인 티베트 법왕의 주치의 텐진 조다구 박사도 소년기에 입산수도한 사원 역시 이러한 뽀돈파에서 전통 티베트의학을 공부한 것이다. 현재 이 사원은 겔루파와 같은 성대한 교파는 아니고 뽀돈파의 명맥만 간신히 계승하고 있을 정도여서 옛날과 같은 면모는 찾아볼 수가 없었다.

명의(名醫)인 잔바씨(氏)는 불교의 교파(敎派)인 현교밀교(顯

敎密敎) 양쪽을 수득(修得)하였기에 그의 명성은 내외에 잘 알려져 있었다. 당시 중국은 명나라 시대로 명왕(明王)으로부터도 인정(認定)을 받아 국왕으로부터의 특별대우의 칭호를 받기도 했다. 칭호는 바로 '명나라 국왕의 시의(侍醫)'라는 의미의 칭호라 한다.

의서(醫書)는 팔과(八科)에 달하는 저서였는데 의서의 뜻이 여의주라고 불리우는 120장에 달하는 의학사상 중요한 저서라고 평가받고 있다. 기타에도 많은 의학 저서가 있었으며 동시에 그의 앞에는 여러 유능한 인재들이 있어 가르침을 주었다 한다. 이렇게 해서 잔바의 계통이 확립된 것이다.

반면에 다른 계통인 스카라 유파에는 주동인물의 의학자가 두 사람 있었으니 한 제자는 도치애라고 하는데 그는 1439년 다보 지방에서 태어나 유년시절부터 영재로서 이름이 높아 광학다문(廣學多問)의 의학자로서 후에 그는 《규씨이》 4 탄드라 전부를 주석하였다. 특히 의학술이나 임상 등에 관한 어려운 문제의 문답하는 양식으로 내용이 모든 의문을 다 뜻대로 풀어 줄 수 있다는 '백은(白銀)의 거울'이라는 뜻이 함축되어 있다는 것이다. 즉 모든 것을 거리낌없이 풀어 준다는 뜻이라 한다.

스카라 유파 계통은 이러한 유명한 저서를 출판한 것 이외에도 의학 교류의 대집회를 가진다든가 여러 지방의 의사들을 한곳에 모이게 하여 의학 세미나를 통해 임상상의 논의라든가 약물 처방과 효능, 또 제약상의 과정과 취급법 등, 그리고 식물 종류의 산지 특정, 동물성·광물성 제약 과정의 방법, 사용하는 제약기구 등등 광범위한 지식 교환을 시도한 것이다.

학구적인 의학논문도 기록하는 등 세계의학사상 이러한 방법과 과정이 당시로서는 주목을 끌만한 빅 이벤트라고 볼 수 있는 것이다. 그는 64세라는 짧은 인생의 막을 내렸으니 일본 무로마치(室町) 막부시대였다.

스카라계의 또 한 사람의 중요한 인물로는 끼야보라고 하는 의학자인데 그는 1509년에 태어났다. 전술한 바 도치애씨(氏)의 3대째 손자뻘이 된다. 그는 불교 저서와 의학서를 저술하였다. 《규씨이》에 관한 자세한 주해서를 내는 등, 특히 요검사(尿檢査) 부문에도 연구와 언급을 했고, 이것은 중국이나 인도 의학에도 없었던 요검사에 관한 특수하면서도 독자성 있는 연구분야였다. 그의 《규씨이》에 대한 주목할 만한 견해가 남아 있는데, 그에 관한 견해는 다음과 같다.

'《규씨이》 의서는 불전과 불설(佛說)을 내세워 형식화시켜서 모방하고는 있으나 어디까지나 불교와 직접적으로는 관련이 없고 오히려 인도의학의 논법을 도입시켰다고 보는 것이 타당하다고 할 것 같다.

이것은 부연하면 옛 티베트시대의 초기의 옛 체제 가운데 권위를 부각시켜 보겠다는 것으로, 의학의 고전(古典)인 《규씨이》에 입각해서 티베트 독자적으로 성립된 것으로서 임상의학을 통해서 실용화된 것이라고 평가되는 것이다.'

이것은 그들의 독특한 '쓰아'의 진단법이나 약물 사용하는 면만을 보아도 짐작이 간다. 이것은 옛날부터 내려온 《규씨이》가 본질적으로 개량되어 티베트의학의 기본 '쓰아' 진단법으로 변용 발전되어가는 과정을 여실히 보여주는 것이다.

구미나 일본 의학계에서 일부이지만 티베트의학이 전통적인 전통의학이 아니라 인도의 아유르베다나 중국의학의 한방의 모방적 재판이라고 보는 사람이 있으나 이것은 아무것도 모르는 사람들이 그것의 번역판을 가지고 보기 때문에 일어나는 경향적 가능성이다. 다소나마 중국의학의 진맥법을 알고 있는 사람 눈에는 그것이나 이것이나 일견 동일 체계처럼 보일지는 몰라도 전연 별개의 시스템이라는 것을 여기서 강조하는 바이다.

가장 큰 차이가 생긴 주원인이란 히말라야 오지 티베트에서 상주하는 그들에게 외래의 의학과 약물, 그리고 진단법 등이 맞는다는 것은 상상도 할 수 없는 일이다. 가령 인도산의 동식물 등의 약물 원료들이 티베트 히말라야산에 비해 따라갈 수 없는 특수성과 우수성을 지니고 내려오는 이유이다. 즉, 히말라야 자연계란 지리적 여건이 그러한 우수한 약물을 쉽사리 손에 넣을 수 있는 보고(寶庫)이기 때문이다.

이 시기가 바로 티베트의학이 독자적으로 확실히 정립된 시기라고 볼 수 있는 것이다. 《규씨이》 의서를 위시해서 많은 목판의 의학서가 나온 시기이기도 하다. 지금까지는 티베트 의서가 손으로 서사되어 내려온 것이 목판인쇄술의 출현 이후 대량의 서적물이 간행하게 된 것이다. 그리하여 17세기로 들어가면서 《규씨이》의 목판 서적이 다량으로 간행되니 티베트의학사의 제3기를 맞이하게 되는 것이다.

4. 법왕시대의 의학

달라이 라마 5세(1617~1682) 시대는 일본은 도쿠가와(德川

家康)가 도요토미가(豊臣家) 본산인 오사카성을 함락시킨 에도 시대에 해당된다.

법왕 5세의 섭정(攝政)이었던 '상케'씨는 1652년에 세라사(寺) 근처에서 태어났다. 1660년에 5세를 알현하였다. 그의 조부도 역시 법왕 달라이 라마의 섭정을 지낸 바 있다. 그는 조부를 스승으로 삼고 학자로부터 문자, 중국·인도의 천문학을 배웠고, 산스크리스트어를 학습했다.

법왕은 그의 손자를(조부 사망 후) 보시고 점성술에 의해서 그의 신변이 불길하니 입산수도할 것을 권하였다. 법왕의 지시로 산중 절에 들어가서 많은 의학서를 암송하는 등 독학하였다. 특히 티베트 진맥법에 관한 서적 교정을 보아 법왕으로부터 높은 평가를 받았다.

법왕은 그에게 최고 의학자 인가증을 수여하고 관정(灌頂)을 하였다. 이러한 의식은 곧 문수사리보살의 지혜와 동등한 법왕의 허가인 것이다. 1674년에는 그에게 큰 기대를 걸고 법왕은 그의 연구 완성을 이루도록 격려와 지원을 아끼지 않았다.

23세가 되자 법왕 5세의 측근 강사가 되어서 문법과 시, 불교철학 등을 진강(進講)하는 위치에 오른다. 그리하여 그의 정교(政教), 의학, 문학 등 능력을 인정받아 높은 섭정의 보좌에 임명을 받게 된다.

5세 법왕 자신은 고대 대이손 왕의 전생자(轉生者)이며 살아있는 활불(活佛)이라고 선언하기에 이른다. 이러한 영광된 섭정 자리에 올랐던 그는 잠시 쉬겠다고 하고 다시 학문 연구에 몰두하게 된다. 또다시 법왕은 1679년에 27세의 '상케 갸초'에게 다시 섭정 자리에 앉아 주기를 청하니 두 번째 섭정이라는 특별 지위에 오르게 된다. 이러한 지위는 정치와 종교 양면에 걸쳐서 실력을 발휘하지 못하고는 누구나 쉽사리 앉을 수 있는 자리가 아니었던 것이다.

'상케 갸초'가 섭정을 맡아서 수행하고 있을 당시에 그는 능히 외교적 수완을 가지고 중국, 인도, 특히 몽고와의 교류를 도모했다. 5세 법왕도, 그의 섭정도 같은 님마라고 불리우는 불교파에 속해 있었다. 그는 많은 저서를 남겼는데 특히 천문학과 의학서 등을 후세에 남기는 공헌을 한 바 있다.

1682년에 법왕은 그에게 유언을 남기고 천화(遷化)한다. 정교(政教) 양면을 통활하면서 법왕을 대신할 것을 부탁하며 건축중인 포탈라궁도 법왕 입적 15년 후에 가서 법왕 열반을 숨긴 채 결국 법왕궁(포탈라) 공사가 준공되기에 이른 것이다.

상케 갸초(5세 법왕의 섭정)

1683년 그의 나이 31세 때, 천문학에 관한 저서와 세력수(歲曆數)에 관한 주석서도 기술하였다. 1687년에는 티베트의학 저작에 착수, 다음해인 1688년 4월 7일에 탈고한다. 1,200장이나 되는 대저작 의서로서 약사여래불의 비밀장엄 만다라의 주석서와 의방명(醫方明)의 주석서 등이다.

1689년에 그의 저서와 주석서 등(의학에 관한)을 티베트 전역의 의학자들에게 서한을 보내서 수정된 점을 발표하게 되니 이 당시의 목판으로 조성된 그의 발표문이 지금도 티베트 포탈라궁에 보존되어 있다고 한다. 후에 이러한 저서(목판) 등은 몽고판과 북경판 등으로도 조성되기도 했다.

1888년 달라이 라마 13세 법왕 시대로 내려와서는 법왕과 섭정진들이 나서서 이 중요한 저작품을 보존코자 목판으로 다량인쇄를 강행함으로써 원목판이 많은 손상을 입으니 1892년에는 목판을 다시 만드는 불사를 하였다.

13세 법왕의 주치의(이름은 텐진 갸초)는 목판으로 된 티베트의서 원본 등을 집대성하여 포탈라궁 부근에 있는 티베트의학원에 반납, 보관하게 되었다.

티베트의학의 발전은 법왕 중심으로 국가적인 차원에서 의학에 관한 연구와 저서가 발표되면서도 시대에 따라 발전하지 못하고 의술을 비롯해서 모든 학문 분야가 쇠퇴하던 시기도 있었음은 사실이다.

1646년에는 티베트의 한 사원이 건립되자 그 장소가 곧 의학교로서 발족하게 되었다. 그것은 1643년 달라이 라마 5세 법왕이 건립코자 한 것인데 사정에 의해서 완성시키지 못한 것이다. 이러한 기존 계획 등을 완성코자 건립된 의학교라 한다.

섭정인 그는 1697년, 45세 때 의학교에서 《규씨이》에 근본, 만다라를 강의하여 학생들에게 티베트의학을 전수시키기도 했다. 새로 시작한 티베트 의학교의 특징으로는 불전(佛典)을 학습하면서 전통적인 티베트의학을 연구시키는 것이어서 많은 불교적인 의학도를 양성하게 된 것이 또한 큰 특색이라고 볼 수 있는 것이다.

의생(醫生)이면서 섭정인 그는 51세 때 6세 법왕에게(1697년) 《규씨이》와 탕카 도면 등 의서(27책)와 도면(인체경락) 62폭 등을 증정한다. 1700년에는 텐진 뉴뽀를 중심으로 7명의 전문 의생들이 인체해부도를 작성한다.

이러한 의학 탕카라고 불리우는 도면은 티베트의학의 계보적인 도면(그림)으로 회화방식으로써 《규씨이》 진맥법을 이해하기 위해서 만들어진 그림 도면인 것이다. 일단 이것이 분실되자 13세 법왕 때에 와서 다시 만들어진다. 이 도면 의서는 자꾸보리 의학교에서 분실된 것을 재판하게 된 것이다. 당시 일부를 몽고에 기증한 바 있는데 지금까지 보존되어 있다고 한다.

저자는 최근에 와서 다람살라(티베트 망명정부가 있는 북인도)에 넘어온 것을 복사해서 일부를 수중에 보관중이다.(현 14세 달라이 라마 법왕의 친형인 노루부 림포체－미국에 거주하고 있음－를 통해서 손에 넣게 된 것이다.)

달라이 라마 법왕 섭정을 지낸 '상케 갸초'는 1705년 몽고의 밀사에 의해 살해된다. 그리하여 일시 티베트는 몽고군의 침공을 받아 지배하에 들어간다.

섭정이었던 '상케 갸초'라는 인물은 정치, 종교, 천문학 등 각 분야에 걸쳐서 많은 사업을 대성시킨 인물이다. 그의 가장 큰 업적은 현존하는 티베트의 자랑인 포탈라궁을 완성시킨 것이다.

뿐만 아니라 티베트의학을 부흥시킨 공로자이기도 하다. 외교면에도 수완이 있어서 옛 티베트 왕조보다도 국위를 높인 업적을 남기기도 했으나 불행히도 몽고의 밀사에 의해 살해되고 만 당시 몽고의 반감을 한몸에 받고 있었던 희생자였던 것이다.

여기서 참고로 티베트 민족의학이(약학 등) 타지방과 민족국가의 틈바구니에서 어떻게 발전되어 왔는가 하는 과정의 요지를 피력하고자 한다.

(1) 티베트의학이란 티베트 민족 고유의 것이며 다시 말해서 히말라야 산맥을 중심으로 광대한 지역에 흩어졌던 농목민(農牧民)의 생활환경으로부터 생산된 특수성을 보유하고 있다는 점이다.

(2) 티베트가 중앙집권적인 국가 체계를 가지고 발전되어 온 과정에서 자연히 아랍, 중국, 인도, 네팔 등의 의학까지도 흡수하면서 취사선택하면서 편성 발전된 것이다. 그런고로 아전인수격인 단독적인 존재가 아니라는 점이다.

(3) 티베트의학의 특징이 언뜻 보면 불교적인 모양과 인상을 갖게 하는 원인은 티베트가 불교국가로서 불교를 정치, 문화, 사회 등 민족생활 전면에 도입시켜 나가고 있음으로 인하여 형식적인 수법으로서 자연히 불타나 약사여래 등을 등장시키고는 있으나 뿌리의 근본은 불교와는 별 관계가 없다고 보는 것이다. 단지 불교를 티베트의학의 상징으로서 권위를 장식한 것에 불과한 것이고 또 수식(修飾)시킨 것뿐이다.

그렇다면 과연 티베트의학이 민족의학으로서 현재는 그 전승이 어떠한 과정을 지니고 있는가를 언급해 보기로 한다.

5. 티베트의학 원전(原典)의 영원성

《규씨이》를 중국에서는 사부의전(四部醫典)이라고 번역하고 있다. 일본의학계에서도 사부의전이라고 소개되고 있다. 그러나 저자는 이러한 개념으로는 생각하지 않고 있다. '규씨'라는 뜻은 비밀적인 것이 내포되어 있다는 것이어서 비요지장(秘要之藏)이라고 그 뜻을 이해하는 것이 좋을 것 같다. '씨'라는 말은 4개라는 뜻이기에 결국 4개의 비전이라는 뜻으로 해석된다. '규씨'는 티베트에서는 '단도리고'를 의미하는 경우가 있다.

특히 티베트의학에서뿐 아니라 원래 의학의 본질이란 인간의 생명관에 입각하여 어떻게 그 생명의 존엄을 유지시키느냐는 것을 관찰 대처해 나가는 데 그 뜻이 있다고 본다. 《규씨이》를 단지 사부의전이라고만 번역하면 사부(四部)의 의학서(醫學書)라는(교과서 같은) 의미로만 설명될 수밖에 없기에 원어 그대로의 속뜻을 되새기면서 그대로 《규씨이》라고 부르는 것이 일관된 뜻이 되는 것이 아니겠는가.

즉 생명의 신비와 생명의 존엄성, 그리고 생명의 유지, 생명과 자연계와의 관계, 생과 사의 문제 등이 일관되어서 표현되는 신비적 사부문(四部門)으로 구성된 고전의학으로 보는 것이다. 초기의 의전(醫典)은 이미 분실되었고 현재는 전승되지 아니하고 있으며 1500년대의 것이 가장 고본(古本)으로 내려오고 있다.

티베트에 밀교를 전래하였던 '빠도마'는 8세기에 저작한 《규씨이》는 일반에게 유포시키기에는 시기상조라 하여 사무애사(寺)

빠도마 산파봐(다람살라의 남갈寺)

에다가 당분간 매장해 두었다고 지적하고 있다. 티베트인과 티베트 불교에서는 불전(佛典)이 지보(至寶)로서 신비성을 띠고 일정한 장소에 일정한 기간 동안 매장 안치시켜 놓고 다시 발굴하는 습관과 전통이 있는데, 의전도 그와 같은 예로 소위 매장보전(埋藏寶典)의 사상을 무시할 수 없다.

그것은 외래종교문화의 가치를 높이는 한 방법으로 한 고승이 매장된 토중(土中)에서 성전(佛典, 醫典)을 발견하여서 보이는 식의 과정을 원점으로 하고 있음을 관찰할 수 있다.

달라이 라마 14세 법왕의 시의(侍醫)인 텐진 조다구 박사는 이 문제를 가지고 저자와도 토론한 바가 있다. 8세기에 있어서의 윤댄곤보의 사실은 부정할 수 없으며 그가 《규씨이》 연구와 발굴의 공로는 절대적으로 귀중한 그의 자료라고 주장했다.

오늘날에도 《규씨이》는 의학교육상의 기본이 되는 교과로서 의학생들에게 널리 암송시키면서 보급시키고 있다. 박사는 고령의 나이에도 《규씨이》를 암송하고 있었다. 그는 한탄하기를 현재의 젊은 의학도들은 이것을 3분의 1도 암송하지 못하고 있음을 지적하며 우려를 표시했다. 물론 의전(醫典)을 전부 암기한다고 해서 그것이 직접으로 일상진료의 기량을 높이는 것도 아니지만 박사는 말하기를 암송도 중요하지만 실질적으로 바른 진단은 주로 '쓰아'(진맥법)에 의한 미묘한 판단에 달려 있다고 주장한다.

일반 의학적으로 문진(問診), 망진(望診), 요검사(尿檢査) 등이 있지만 중요한 것은 어디까지나 '쓰아'에 의한 진단법으로 티베트의학에서 이것을 못한다면 티베트의학은 그림의 떡이라고 역설한다. 물론 '쓰아'는 특수한 진맥법으로 일체의 질병을 찾아내는데, 청진기나 혈압기 같은 현대의학에서 사용하는 용구는 일체 사용하지 않는 것이 특징이다. 일반적으로는 환자의 '쓰아'를 보는 방법은 의사가 육지(六指)로써 혹은 십지로써 손가락 끝을 가지고 환자의 맥을 짚어 보는 것이다.

중국에 한때 체포되었던 티베트인 의사 가운데 나중에 석방되어 라사 시내에 있는 티베트 병원에서 진료를 하게 경우도 있다. 그중에 중국인에게 의학교육을 받고 온 티베트 의사도 있었으나 그들은 일상적 진료에 청진기나 주사, 혈압기 등을 이용하는 의사가 있었는데, 박사는 그것을 좋아하지 않고 역시 티베트 전통 '쓰아'를 가지고 검진할 것을 종용했다.

다행히도 저자도 4, 5회 박사의 진맥(쓰아)을 직접 받아본 경험이 있는데 그의 진맥에서 나온 결과가 일반 병원에서 받은 건강진단과 일치하는 데 놀라지 않을 수 없었다.

텐진 조다구 박사가 한때 중공 치하에서 구류생활을 할 때 중국 의사의 간장 질환을 '쓰아'로써 알아내어 완치해 준 일이 있었던 이야기는 이미 진술한 바 있다. 박사는 자신있게 자랑하며 말한다. 99% 자신의 '쓰아' 진단법이 정확하다는 것을. 그러면

의학교 졸업자의 경우도 99% 정확하느냐 물으니 60% 정도는 될 것이라 실토한 바 있다.

그러나 박사는 부언하기를 중요한 것은 학문적인 것보다도 실지로 임상경험이 무엇보다 귀중하다고 역설했다.

현재 인도 뉴델리에서 유일한 여의사로서 티베트 전통의학으로 진료를 하고 있는 도루카 여사는 말하기를 나의 의술 실력은 박사(조다구)만은 못해도 나의 생각으로는 젊은 티베트 의사들이 '쓰아'로서 50%만 실력 발휘할 수 있다면 우수한 편이라고 실토하고 있었다. 자신의 실력(임상)은 약 70% 정도는 자신이 있다고 '쓰아' 진료에 대한 확률을 털어놓았다.

뉴델리에 있는 메디컬센터에서 임상경험을 하고 있는 현장에서는 의사와 의학생들이 같이 진찰(쓰아)을 서로 수지(手指)를 사용하면서 교수하는 것을 목격할 수 있었다. 의학생들은 실습지도를 통해서 증극한 것을 열심히 노트에 필기하고 있었다. 이러한 실습이 그들의 메디컬센터의 진료생활이고 의학공부의 길이었다.

자! 그러면 그 유명한 '쓰아'로 무엇을 먼저 진찰하는 것일까? 티베트의학의 체계 중심을 이루는 현상은 '룽', '치이바', '빼겐'의 생리학적 체질의 구분에 관한 관찰인 것이다. 이러한 3개의 요소가 따로 분리되어서 인체를 지배하고 있는 것이 아니라 상호 연결되어 있으며 항상 조화를 이루고자 움직이고 있는 삼위일체라고 보는 것이다.

중국어역으로는 룽을 풍(風素)이라 하고 치이바를 담즙(膽汁素), 빼겐을 점액(粘液素)라고 한다. 물론 티베트어의 표현으로는 룽을 풍(風)이라고도 개념하지만 실은 룽이란 더 크고 넓은 뜻이 포함되어 있는 것이다. 불교용어 안에 지, 수, 화, 풍의 요소와 비슷하기도 하다. 저자의 견해로는 치이바를 담즙이라 하고, 빼겐을 점액소(粘液素)라고 확정지어 버린다면 참뜻의 티베트의학을 이해하기 힘들다고 본다.

역시 중국식으로 번역된 문지로서 이해해야 하는 것보다는 디베트어 원어 그대로 개념을 알아내는 것이 현명한 방법이라고 주장하고 싶다. 현재 다람살라에 있는 티베트 메디컬센터에 종사하고 있는 현직 의사들과 10여년을 두고 그런저런 의학 이야기를 교환한 결과 그들은 이구동성으로 한탄하기를 티베트의학 번역판(외국어) 역문의 99%가 현저하게 잘못된 것이 많이 있다는 지적이었다.

번역판으로는 우선 중국어, 독일어, 프랑스어, 러시아어 등 이미 각국어판으로 많이 번역되어 있으며 일본 국내에도 번역 책자들이 있으나 본질을 전달하기에는 거리가 멀다고 저자는 지적하고 싶다. 티베트의 의학용어가 불교적 용어와 유사한 점이 있는 것은 사실이다. 영문 번역을 한 예로 들어본다면 티베트어인 룽을 Wind로, 치이바를 Bile, 빼겐을 Phlegm이라고 번역한 것을 보더라도 짐작될 것이다. 원어의 뜻 전달이 부족하다는 것은 다른 한자로 표현해도 똑같다고 저자는 보는 것이다.

제 3 장

티베트의학의 진단법

1. 쓰아 진단법의 확립

쓰아라고 불리우는 진맥법이 확립된 것은 의성인 유두 닌마 윤댄곤보 시대라고 말한다. 그것은 8세기 전후였을 것이라는 현재 의성인 조다구 박사의 지적이다. 그것은 중국의학이나 인도의 아유르베다의 그것과도 동일하지 않은 티베트의 독자적인 진맥법이라고 고전 주해서에도 지적되고 있다.

불타(佛陀)는 천안통(天眼通)을 하셔서 일체의 사물을 꿰뚫어 보시는 능력을 보유하고 계셨으니 일반 속인으로서는 이 경지에 도달하기란 쉽지 않았을 것이다.

고대에 있어서 쓰아의 진단법을 습득하여 병자들을 치료한다는 것은 비상한 노력과 연구를 거듭해 왔을 것으로 주석서인 《규씨이》 고서에서도 언급하고 있다. 그것은 8세기로부터 18세기까지 약 천년이 흐르는 동안 많은 저술이 있었다는 사실만 보더라도 쓰아 진단법 역사의 흐름을 잘 이해할 수 있을 것이라고 단언하는 바이다.

그렇다면 쓰아는 태생학적인 견지에서 볼 때 언제 발생하는

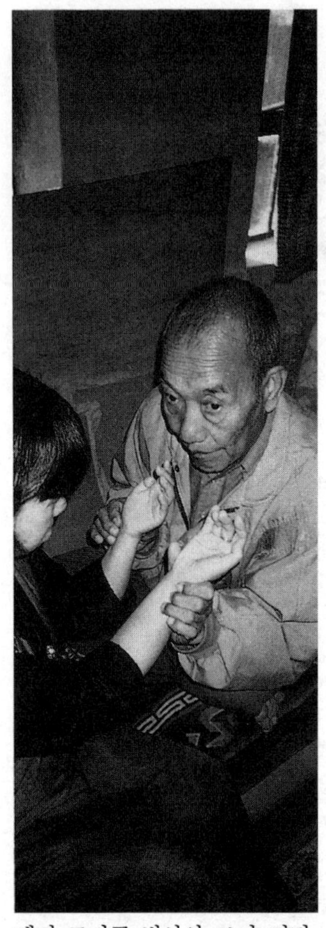
텐진 조다구 박사의 쓰아 진단

것일까?

수정된 난자가 태아가 되어 제6주가 되면 쓰아의 형태를 육안으로 명확하게 관찰이 가능하다. 이것을 쏘구쓰아라고 하는데 '쏘구'라 하는 뜻은 생명이라는 말이다. 이러한 원시적 형태로부터 다음의 세 가지가 발생하면서 성장하게 되는 것이다.

쏘구쓰아 → 루마쓰아 – 흑맥(黑脈)
쏘구쓰아 → 우매쓰아 – 적맥(赤脈)
쏘구쓰아 → 잔마쓰아 – 백맥(白脈)

※일본어로 번역하면 이렇게 세 가지로 표현하게 된다.

적맥(우매쓰아)에 속한 맥관(脈管)인 라쓰아를 보는 방법인데 사람의 손목 부근 쥬와라고 불리우는 부위 조금 아래를 진맥하는 것이다. 이 맥은 심장으로부터 상완부(上腕部 : 팔뚝)를 통해서 두 방향으로 분기(分岐)된다. 팔뚝으로 통하는 우매쓰아에 속하는 맥관을 말하는 것이다. 라쓰아란 흐르는 맥관이지 부위를 말하는 것은 아니다. 외국 문헌에서도 말하고 있다.

다음으로 진단하는 부위는 사람의 발목이나 발바닥을 진맥하는 방법이 있다. 이것은 배루쓰아라고 부른다. 이 맥은 주로 임종이 가까워진 사람을 보는 진맥이다. 그러나 맥이 전혀 흐르지 않거나 극히 약하게 뛰는 경우 죽음이 가까워져 있음을 알게 된다.(사기(死期)가 가까워졌음을)

이러한 진맥은 목부(頸部)에서도 볼 수 있다. 현대의학에서 말하고 있는 경동맥(頸動脈) 줄이라고도 보는데 실제는 또 그렇지도 않다.

그러나 티베트의학에서는 고래로 심장병 질환을 볼 때 여기의 맥을 보는 것이 상례이기도 하다. 닌로라고 하는 것도 쓰아를 부르는 한 명칭으로 사람 목덜미 중앙으로부터 손가락 하나 정도 옆으로 흐르고 있다고 본다. 가끔 잠이 잘 오지 않을 때 여기를 비교적 강하게 지압하면 잠을 잘 청할 수 있는 부위이기도 하다. 누구나 흔히 경험하는 바이다.

하반신을 볼 때는 미구마루라고 하는 쓰아를 보면 된다. 미구마루란 부위도 되고 맥의 명칭도 된다. 맥의 명칭과 몸 부위의 이름이 우연히 일치되는 경우가 있기도 하고 또 일치하지 않을 때도 있다. 무릎 관절, 넓적다리 부위 등 진맥은 루마쓰아(黑脈)와 우매쓰아(赤脈) 두 맥으로 흐르고 있는 맥줄을 미구마루라고 불리우는 맥으로 진단하는 것이다.

기타 흉부로부터 상행하는 상반신의 상층 분야의 질환을 진단하는 것이지만 의학교육상으로만 설명하고 있을 뿐이지 실제적으로는 주가 되는 진단법이란 손목으로 보는 진맥법으로 약 90% 정도가 손목쓰아로 보고 있는 것이 현실이다.

이러한 쓰아를 한자(漢字)로 절맥(切脈)이라고 표현하는 것은 옳지 않다고 본다. 중국의학에서 말하는 절진(切診)이라고 하는 개념으로부터 온 것이라 보는데 기본적으로 다른 개념이라 말하고 싶다.

신체의 기초적 개념을 쓰아라고 말한다. 이미 기술한 바와 같이 6주가 된 태아에 있어서 중심부를 상하로 달리는 잔마쓰아(白脈), 좌우로 달리는 우메쓰이(赤脈), 그리고 루미쓰이(黑脈)가 동시에 발생하는 태아는 성장의 각 단계를 경과하게 된다. 이러한 쓰아로부터 쓰아라는 참 개념이 탄생한 것이라 본다.

전술한바 중국의학에서 말하는 절맥이라는 것과는 이념상으로 전혀 이질적인 것이 있다. 맥을 보는 의사들이 단지 외견적으로만 진맥을 진단하고 전부를 안다고 생각할런지 몰라도 문제는 쓰아 자체를 어떻게 해석하고 있는가가 중요하다고 본다. 쓰아를 해석하는 점을 다음과 같이 요약해 보겠다.

2. 의사들의 지두(指頭)가 알아내는 진단

의사의 오른쪽 손가락으로 환자의 왼쪽 손목을, 반대로 의사의 왼쪽 손가락으로 환자의 오른쪽 손목을 눌러 맥을 본다. 한쪽만 보는 것이 아니고 양쪽 손목을 다 보아야 된다. 옛날에는 남녀별로 남자의 경우는 왼쪽 손부터 보고, 여자는 오른쪽 손부터 진맥을 보는 경우도 있었으나 이러한 순서란 무의미한 것이다. 좌우 어느쪽부터 보더라도 관계는 없으나 중요한 것은 좌우 양쪽은 반드시 진찰하지 않으면 안된다고 지금 생존하고 있는 의성(醫聖) 조다구 박사는 말하고 있다.

그림에서 보는 것처럼 손목 부위를 의사의 처음 세 손가락을 슬며시 대고 끝에 가서는 네 번째 손가락까지 슬며시 대고 진맥하는 것이다. 이때에 알아야 될 것은 처음에는 피부 위를 살며시 누르면서 보다가 끝에 가서는 약간 강하게, 그리고 더 세게 압진(壓診)을 하는 것이다. 좌우 손목 같은 방법이다. 이러한 후에 의미있는 진찰과 진맥 내용이 전개되기 마련이다.

의사의 왼쪽 손으로

제2지의 왼쪽으로 폐기능을, 오른쪽으로 대장(大腸)을

제3지의 왼쪽으로 간장(肝臟), 오른쪽으로 쓸개를

제4지의 왼쪽으로 오른쪽 신장(腎臟)을, 오른쪽으로 방광(膀胱) 기능을

다음은 의사가 손을 오른쪽 손으로 바꾼다.

제2지의 오른쪽을 가지고 심장의 기능을, 왼쪽으로 소장(小腸)을

제3지의 오른쪽으로 비장(脾臟)을 보며, 왼쪽으로 위(胃)를 본다.

제4지의 오른쪽으로 왼

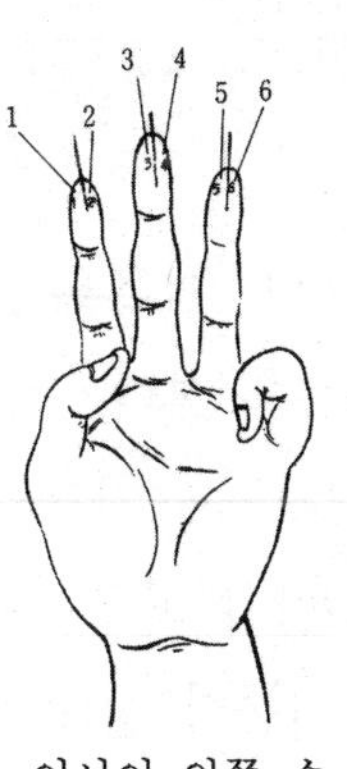

의사의 왼쪽 손

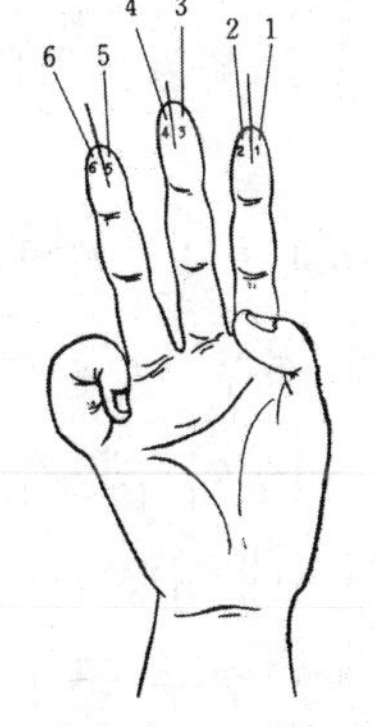

의사의 오른쪽 손

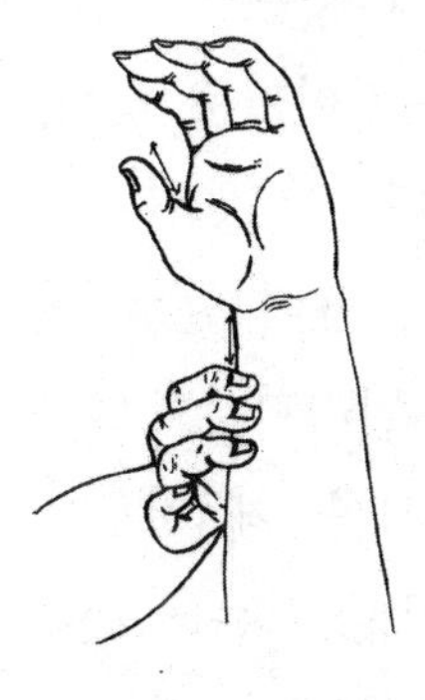
환자의 왼쪽 손목과 의사의 오른쪽 손가락

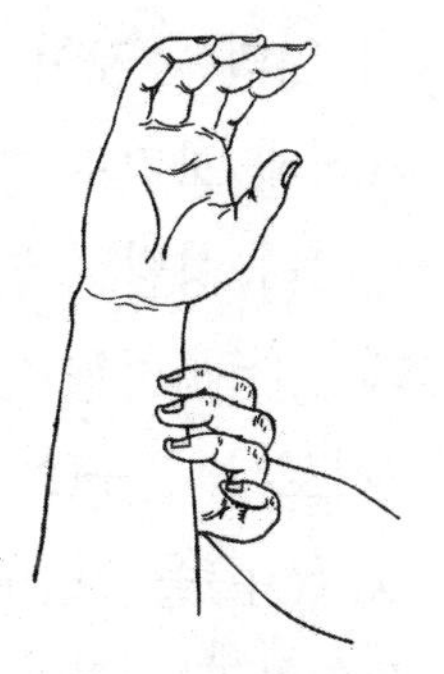
환자의 오른쪽 손목과 의사의 왼쪽 손가락

		의사의 오른손으로 환자의 왼쪽 손목을 진찰	의사의 왼손으로 환자의 오른쪽 손목을 진찰
남성 환자	검지	• 심장(1) 소장(2)	• 폐(1) 대장(2)
	중지	비장(3) 위(4)	간장(3) 쓸개(4)
	약지	왼쪽 신장(5) 정낭(6)	오른쪽 신장(5) 방광(6)
여성 환자	검지	• 폐(1) 소장(2)	• 심장(1) 대장(2)
	중지	비장(3) 위(4)	간장(3) 쓸개(4)
	약지	왼쪽 신장(5) 난소(6)	오른쪽 신장(5) 방광(6)

( ) 안의 숫자는 의사의 오른쪽 손, 왼쪽 손의 손가락 번호 참조

쪽에 있는 신장을 본다. 왼쪽을 가지고는 생식기(生殖器, 남성의 경우 精巢)의 기능을 본다.

이상이 제2지, 제3지, 제4지로서 각 지두(指頭)의 좌우의 측면인대 수진자(受診者)의 좌우 손목을 촉진(觸診)으로 환자 내장을 한두 군데 각 기능의 상태를 진단하는 것이다. 이러한 과정의 진단이 남녀가 공통되지 않는다. 즉 남성과 여성이 동일하지 않다는 것이 특징이기도 하다. 여기서 그러하기에 남녀별로 표시해 보기로 한다.

남녀 성별로 인해 표에 있는 것처럼 심장과 폐가 의사의 지두 대상(指頭對象)이 달라지기도 한다. 중국의학에 의한 진맥은 제2지로서 촌구(寸口)를, 제3지로서 관상(關上)을, 제4지로서 척중(尺中)을 절진(切診)하는데 언뜻 보면 동일한 것 같으나 티베트의학과는 차이가 있음을 말해 둔다.

또 촌부(寸部)에서는 흉막(胸膜), 심폐(心肺), 구후(口喉) 등

주로 상부의 병상(病狀)을, 관부(關部)에서는 흉협(胸脇)으로부터 하복부 신체 중심의 병상을 진찰한다. 또 척부(尺部)에서는 허리로부터 하부의 병상을 진찰한다. 이것은《난행(難行)》이라는 저서에서 설명하고 있다. 그러나《상한론(傷寒論)》에서는 채용하고 있지 않다.

맥에도 음(陰)과 양(陽)이 표(表)와 이(裏) 등의 구별이 있으며, 즉 부맥(浮脈)을 표로서 양이라 하고, 침맥(沈脈)은 이로서 음을 말한다.《상한론》에서는 약 23가지 맥진을 열거하고는 있으나 이것은 후세에 들어와 추가된 것이 많이 있음을 말하고 있다.

조다구 박사의 설명에 따르면 의사의 지두(指頭) 좌측을 모아서 도운이라고 칭하며, 우측을 모아서 내유라고 칭한다고 말하고 있다. 이러한 개념은 좌우측에다 촉진하며 진맥한다는 뜻인데 이것은 섬세한 델리킷한 방법으로 중국의학에서는 전연 볼 수 없는 분야이다.

진단하는 대상의 장기에 관한 구분도 심장이나 폐에 관해서는 비슷하나 나머지는 전연 유사한 점이 없다는 것이다. 그럼으로써 진단하는 조직 시스템은 하나도 공통된 토대를 가지지 않고 있다는 점을 단언하는 바이다. 중국의학뿐 아니라 인도의학하고도 기초가 전연 다르다고 말하고 싶다.

피부를 건드리는 지두의 작용 단계는 씅으로부터 다소 촉감을 강하게 누르는 것을 깐이라고 말한다. 즉 씅, 칸, 챠 등의 촉진법으로 시간적으로는 약 2, 3분 정도로서 마치 명상하는 것처럼 행법으로서 병세를 알아내는 것이다.

제2지, 제3지, 제4지 등을 사용하는 촉진법은 씅, 칸, 챠에 의해서 지두 좌측 위의 진단에 있어서 전술한 것처럼 3개를 종합, 도운이라고 칭한다. 이와 반대로 우측 지두를 사용할 때(診斷을) 3개를 합해서 내유라고 칭한다. 지금까지의 이러한 세밀하고 델리킷한 손가락 조작은 곧 티베트의학의 특징이라는 것을 여기서 재삼 강조하는 바이다.

수진자(受診者)가 비만체(肥滿體)인 경우 손가락이 피부에 접할 때 촉진압력이 통상에 비해서 상당한 힘을 가해도 압접촉(壓接觸)을 요한다.

티베트 의학교에서는 현재 7년제의 교육 연한이지만 그들 의학생들의 졸업 직후에 조사해 보니 맥(쓰아)을 보는 습숙(習熟) 정도가 50%에서 60% 정도가 습득하는 정도라고 텐진 조다구 박사는 실토하고 있다. 진맥법을 자신있게 습득한다는 것이 쉽지 않다는 뜻이다.

북인도 티베트 망명정부가 있는 다람살라에서 개업하고 있는 이시 댄댄 의사는 이전에 잠시 달라이 라마 법왕의 시의로 근무한 일이 있었다. 저자가 그에게 쓰아에 관해서 질문을 던진 일이 있었다. 놀란 것은 카르마(業障)도 진맥으로 찾아볼 수 있다고 말하고 있었다.

또 그는 말하기를 과거로부터의 소작지, 업력(業力)까지 의사로서 찾아내고, 진찰에 임하지 않고는 진짜로 속병을 발견하기가 불가능할 것이라는 말을 들려주었다. 즉 내면적인 문제까지 접하지 않고는 진짜 건강관리가 완성하기 힘들 것이라는 뜻이다. 업병(業病)을 알아야 수진자의 모든 병을 치료할 수 있다는 것이다.

그가 말한 바 업병에 관해서 말한 내용을 경청하고 깊은 감명과 인상을 받은 바 있다.

3. 아시아 의학과의 관련성

쓰아(診脈)라는 행위는 물리적으로나 해부학적인 의미로 보면 동맥(動脈), 정맥(靜脈)을 포함해서 혈관의 작동과(血壓과 脈搏) 신경계라는 의미만 가지고는 설명이 안된다.

물론 순환기 계통인 혈관, 즉 동맥, 정맥 등도 포함되지만 뇌척수(腦脊髓)로부터 온몸으로 주행(走行)하고 있는 신경계통도 포함되어야 한다. 티베트의학에서는 세가지 쓰아(脈)가 있다고 한다. 즉 루마쓰아, 우매쓰아, 잔마쓰아 등은 상호 관련성이 있어서 잠재력으로 전신을 지배하고 있다고 생각하고 있는 것이다. 여기에 임파(淋巴)라는 용어를 발견할 수 없으나 임파계도 포함되어 있다고 보는 것도 좋을 것이다.

조직 간격을 연결시키는 액체성분인 임파를 뜻하는 개념을 받아들여서 응용하는 것도 바람직하다고 본다. 티베트 쓰아를 더 한층 이해하기 쉽다고 본인은 확신한다. 이리하여 티베트의학의 쓰아 진단법으로서 인체의 생명 잠재력이나 에너지가 신체를 어떻게 지배하고 있는가를 알아낼 수 있을 것이다.

이미 기술한 바와 같이 룽, 치이바, 빼겐에 관해서 풍(風)이나 담즙(膽汁), 점액(粘液) 등의 한자로서 표현하는 것은 오해할 수 있는 표현이고, 이것을 또한 다음과 같은 티베트식으로 역(譯)한다는 것도 체질을 잘못 해석하는 것이라 본인은 보고 있다. 말하자면 티베트의학을 이러한 중국식 한자로 표현하거나 또 인도식 흐름으로 인식하려는 입장이기에 이것도 그 실태를 모르고 있다는 데서 나온 해석이라고 본다.

조다구 박사는 실토하기를 인도 고전 아유르베다와 다소의 유사한 점이 없지 않으나 그렇다고 진단면에서 티베트의학과 베다의 견해와 비교한다면 진단 결과는 이질적이고 그리고 차원이 근본적으로 다르다는 결과가 나오게 된다. 이러한 차이는 많은 임상상에 있어서 반드시 티베트의학면이 우위에 있다는 것을 알게 되는 경우가 많이 생긴다.

말하자면 사고(思考)상으로나 병리학적 견지에서 보더라도 카테고리가 기본적으로 다른 것이 입증되고 있는 것이다. 단적으로 말하자면 서양의학이나 인도 베다의학쪽에서 치료되지 못한 환자가 망명정부가 있는 북인도 다람살라 메디컬센터에서, 그리고 뉴델리에 있는 티베트 여의사 도루카의 치료를 받고서 완치되어가는 환자들을 자주 목격하는 것이다.

이것은 무엇을 의미하는 것일까? 티베트의학의 신체론(身體論), 병리론(病理論), 생리학(生理學) 등을 통한 진단 결과 처방된 많은 약물들이 인도베다계와는 현저하게 다르다는 것이 실제로 느껴진다.

만일 아시아계인 베다의학계의 영향을 받은 것이라면 티베트의학이 개재될 여지가 없는 것이다. 이러한 편향적인 견해가 생긴 것은 인도를 식민지로 통치하던 영국학자 중에 베다의학을 연구한 자가 있어서 베다를 문헌적으로 연구한 결과 결론을 내렸을 것으로 보고 싶다.

왜냐하면 학자들의 탁상공론(卓上空論)은 관료주의적으로 빠질 가능성이 있기에 편견이 있을 수 있는 것이다. 일본학회나 학자들도 구미적인 것을 맹목적으로 영합(迎合)하는 번역 등 업적을 자랑은 하면서도 실지로 검토(檢討), 분석 등 작업이 부족한 탓으로 노력하지 않고 '식자우환'이라는 어리석음을 범하기 쉬운 것을 지적하는 바이다. 화제가 옆으로 흘렀으나 깊이가 없는 천박한 지식과 경험적 기반이 없이 떠드는 경솔한 행동을 지적하면서 주의와 경계심을 촉구하는 바이다.

전술한 서적 중에는 중국의학과의 유사성이라고 주장하는 사람도 있으나, 약물에서도, 또 약효에 대한 해석도 큰 차이가 있음을 지적하고 싶다. 어느 분야나 다소의 유사성과 접하는 점이 없지는 않을 것이다. 접점이란 이문화(異文化)의 의학을 비교 연구하다 보면 우연한 동질성(우연한 유사성)이 있음을 발견할 수도 있을 것이다. 그것은 인간이 아니고 동식물을 원재료로 삼는 경우에는 크게 생길 가능성이 있다고 본다.

8세기 전부터 티베트의학은 경험적 의학으로 발전하면서 천년이 흐르는 세월에서 여러 유파(流派)가 생겨서 조사(祖師)로부터 제자로 전수되면서 집약(集約)도 되고 하면서 분기(分岐)하며 완성된 것이라고 본다.(2,500년 흐르는 불교역사도 그러하다)

기술한 바와 같이 의학역사 문화도 많은 경우 정치권력이나 왕권 등 권력과의 접점을 유지하는 동안 법권(法權)이나 왕권정치하에서 정책상 민중의 건강유지가 큰 힘이 되면서 내려온 것이며 떨어질래야 떨어질 수 없는 유대관계를 가지고 온 것이다. 곧 민중의 건강이 국가발전상에도 꼭 필요한 것이었음을 알 수 있다.

그러나 이러한 권력하에서도 티베트의학은 정권력 밖에서 육성 발전, 면면히 전통을 계승해 온 것이다. 이러한 내용이 원인이 되어 자연히 많은 유파가 생겨난 것은 당위성(當爲性)인 인과(因果)라고 인정하고 싶다.

4. 현대의학이 상실한 분야

룽, 치이바, 빼겐 등은 생리학, 해부학, 그리고 병리학적인 면에서 어떻게 취급되고 있는가에 대해서 잠시 생각해 보기로 한다. 3가지의 개념은 기본적으로 다섯 가지 분야의 기능을 가지고 있다.

• 룽에 관해서

(1) 생명력의 유지기능
(2) 언어기능과 의욕을 지배한다.
(3) 표정과 감상의 관련성에 기능
(4) 식물(食物)의 소화, 분해, 흡수기능
(5) 배뇨(排尿), 배변(排便) 분만에 기능

• 치이바에 관해서

(1) 소화흡수와 활력의 기능
(2) 기력(氣力), 기분(氣分), 기색(氣色)의 유지기능
(3) 사고력, 자기의식의 조절기능
(4) 시각력(視覺力)의 유지기능
(5) 표피, 체표면의 활성화 기능

• 빼겐에 관해서

(1) 체내에 있는 수분을 유지하는 기능
(2) 식물(食物)의 세분화 기능
(3) 미각(味覺)기능
(4) 정서(情緒) 유지를 조절하는 기능
(5) 관절 운동기능을 조절하는 기능

상기한 것 등은 룽, 치이바, 빼겐이라고 하는 세가지 개념에 관해서 중심적 기능을 표시한 것뿐으로, 실제로는 더한층 복잡하고 델리킷하다. 쓰아란 이러한 상기한 세 분야가 지닌 각 부분을 진단하면서 그 세가지 쓰아가 부조화이냐 아니냐 하는 점을(그 정도를) 결정하는 기능 활동으로 한다.

티베트의학에서는 특히 수진자(受診者)의 정신적인 면을 들여다보면서 하는 평가를 중요시하고 있다. 고로 스트레스가 많은 현대병에는 높은 관심과 평가를 보이고 있다.

조다구 박사는 이 10년 이래로 유럽, 특히 프랑스에는 매년 2, 3회 정도 강의와 진료를 위해서 왕진 여행을 나간다. 박사의 진단과 약물처방은 높이 평가받고 있다. 최근에 와서 젊은 티베트의사단을 프랑스에 상주, 주재시키면서 건강지도를 하고 계시다. 이것은 현대의학이 모르고 잊혀지고 있는 분야인데 티베트의학이 가서 진료하며 공헌하고 있다.

그것은 현대의학이라는 것이 주로 검사 편중이고 약물이나 주사주의(注射主義)에 기울어져 가고 있는 현실에서 생기는 부작용을 일으킬 경우 티베트의학이 이것을 어떻게 자연요법으로 돌리느냐, 이러한 현대의학의 허점을 수정하는 역할을 하고 있다고 본다.

보통 쓰아는 룽과 치이바, 그리고 빼겐을 종합적으로 파악하게 된다. 그러나 조다구 박사의 한 예를 들어 보면 박사가 보는 진맥은 제2, 제3 제4지를 사용, 저자의 오른쪽 손목으로부터 왼쪽 손목으로 이동하면서 쓰아를 보는 것이다. 즉 우매쓰아의 흐름을 보는 것이다.

보는 내용은 주로 힘(스테미너), 박동(搏動), 맥박이 뛰는 것을 보는 것이다. 뿐만 아니라 동시에 여기에 관련되는 루마쓰아, 잔마쓰아 등 전부를 보게 되는 것이다. 보는 시간은 약 120초이다.

또 박사는 말하기를, 체질적으로 룽과 치이바, 두가지 쓰아가 평균적으로 주체가 되어서 진단하게 되며 몸의 균형을 체크하자면 역시 빼겐 쓰아도 있으나 두가지 쓰아만 가지고 보통 보게 되어 있다고 한다.

보는 내용은 현대의학적인 표현으로 말하자면 감기(感氣), 호흡기계 질환의 기왕증(既往症), 소화기계, 특히 간장질환에 대해 일상생활에서 꼭 요주의할 것을 권고하고 있다.(현대의학에서 보는 현대인이 잘 걸리기 쉬운 질환을 지적) 이 진단은 적중하고 있으며 현대의학에서의 체크하는 건강진단과도 일치하고 있다는 점이 놀라운 일이다.

박사는 쓰아 진단법만 가지고서 약 2분 이내로 알고서 결정을 내리는 것이다. 그러나 금일의 현대의학쪽을 본다면 각종의 검사 의료기구와 검사방법 등을 총동원, 검사가 반나절에서 꼬박 하루 종일을 검사, 결과는 후일에서야 겨우 나오게 마련이다.

물론 수치적으로는 세밀하고 자세한 결과는 현대의학쪽이 정통한 것이 틀림없다. 그에 반해 박사의 진단법으로는 그러한 수치나 자세한 통계 데이터는 나오지 않는다. 그래도 전체상을 보는 데 2분 정도면 다 알아낸다. 그러므로 결론은 현대의학은 이러한 다듬어진 티베트의학쪽을 다시 한번 재검토해 보기를 바라면서 꼭 필요한 작업이 될 것이다.

저자는 조다구 박사의 진단 결과 1일 3회 복용하라는 내복약(티베트 처방약으로)을 3개월 복용한 결과, 30년 앓아온 지병인 변비증이 사라지고 자연체로 쾌유를 보았다. 자연적으로 고연령자이지만 다소 과로해도 체력이 굴하지 않고 지금은 건강이 향상되었다고 확신하고 있다.

이미 기술한 것처럼 티베트의학에서 진단하는 룽, 치이바, 빼겐 등은 3자 작용이 전혀 다르면서도 서로가 유기적으로 하나의 작용을 함으로써 세가지의 기본적인 움직임이 신체 각 부위를 조절하고 있어서 이러한 균형이 어느 부분에서 실조(조절을 상실)하고 있음을 알아내는 것이다. 장기(臟器)가 좋고 나쁜 것을 알아내면서도 또한 서로의 균형이 어디에서 깨지고 부조화된 관계도 알아내는 것이다.

사람에 따라서 세가지가 잘 조화가 잡히고 있는 사람도 있으나 이러한 경우의 사람은 드물고, 그 중 하나가 강하고 하나가 약하고 또는 두가지는 좋고 강한데 하나만이 약하다든지 사람마다 일정치가 않다. 즉 이러한 관계를 선천적으로 내려오는 요소와 후천적으로 일어난 요소 등을 비교해서 금일의 병력으로 알아내면서 연구도 하고 있는 것이다.

선천적인 요소에는 물론 유전성 문제가 있으나 후천적인 요소에 대해서는 원인을 알아내는 조치를 취하기도 한다. 이때에 건강관리에 대한 지시와 처방에 의한 투약을 같이 하게 된다. 조다구 박사는 다음 여섯 가지를 들어서 말하고 있다.

(1) 진맥쓰아로서 수진자(受診者)를 볼 때에 있어서 중요한 것은 사전에 환자의 전체상을 파악하는 것이다.

(2) 문진으로 환자의 특성이나 특질 등 성격성을 감지할 것

(3) 쓰아를 진단하는 시간적 문제(후술한다)

(4) 1년 12개월을 여섯 계절로 나누어서 각 계절의 자연계의 영향이나 각 개체와의 관련성을 고려하여야 한다.

(5) 평상시 건강이 양호(정상)할 때와 지금의 현 증상과의 쓰아의 비교연구

(6) 수진자의 고유한 수명과 장래의 여명(餘命)에 대해서 관찰

이러한 많은 요소를 지니고 있다고 본다. 특히 (3)항인 시간적 문제에 대해 언급하고자 한다.

루마쓰아와 잔마쓰아는 진단상 시간적인 것에 좌우되는 요소를 지니고 있다. 즉 어느 시간(朝夕)에 가서 진맥(診察)을 받느냐가 또한 문제가 된다. 하루 24시간 중 누구나 생명력이 왕성하게 활동을 시작하는 때가 아침 태양이 떠오르는 전후이며, 진맥을 보는 가장 적당한 시간은 일출부터 오전 10시까지가 좋은 시간이라고 본다.(불교에서도 오전 11시 사시(巳時)를 중요하게 여긴다.)

루마쓰아는 태양의 온도 여하에 따라 시간이 흐름에 따라서 활력이 상승하게 되고, 즉 정오 전후 시간이 가장 상승하는 좋

은 시간이라 한다. 잔마쓰아는 일몰 때부터 야간에 걸쳐 역으로 냉각(冷却)되어가는 것이 특징이라 한다.

우매쓰아는 평정하고 안정된 상태를 유지하고는 있으나 다른 두가지 쓰아가 불안정할 때는 정확하게 보기는 숙달된 의사가 아니고는 힘들 것이라 한다. 그러기에 아침 일찍 태양이 높이 올라왔을 때엔 하늘이 일광으로 밝은 시간, 즉 자연의 에너지가 서서히 활동하거나 활력이 전신으로 들어와 충만할 오전 10시경이 가장 정확한 진단 결과를 얻을 수 있다는 것이다.

박사가 법왕의 수석 시의로 있을 때 법왕이 보통 오전 4시 전후해서 기상하여 명상에 드시기 전에 맥을 보시는 일과가 들어 있었는데 이러한 진맥 보는 일과 시간을 가지게 된 것도 나름대로의 의학적 이유가 있었기에 아침시간을 택한 것이다. 박사께서 저자의 진맥을 할 때도 오전 9시에 진단을 하셨다. 시간은 2분 정도였으나 그 짧은 시간에 벌써 앞서 언급한 것처럼 나의 전신 상태를 알아내며 지적해 주셨다.

(역자인 방육 스님도 1997년에 박사를 법왕께서 특별 직접 소개가 있어 부산 대각사(大覺寺) 스님과 같이 진찰을 받은 바 있다. 사전에 아무 말 하지 않고 맥을 보았다. 귀신처럼 알아내셨다. 물론 오후들어 아무 시간에 가서도 진맥과 진찰이 가능하지만 역시 이상적 시간은 오전중인 것 같았으며 환자보다 의사쪽에서 안좋아하시는 눈치였다.)

대상이 되는 것은 우매쓰아인 것이다. 이것은 바로 생명력의 맥이기도 하다. 그래서 명맥이라고도 한다. 현대의학적 말로 표현하자면 동맥 계통의 활동을 뜻하는 것이라고 해석해도 무방하다. 그러나 일반적으로 그것은 꼭 동맥으로서의 개념뿐 아니라 정신적인 요소도(神經系가 아닌) 포함되어 있어서 현대의학하고는 차원이 다르다 보는 것이다.

여기서 언급하고 있는 우매쓰아는 배꼽 부분으로부터 좌우의 신장, 간장, 폐장, 심장, 그리고 인체의 하부, 또 경부(頸部)로부터 두부(頭部)의 상체 분야까지 경로를 넓히고 있는 것이다.

잔마쓰아는 두부로부터 시작해서 인체의 하부에까지, 그러면서도 사지(四肢)에도 그의 경로를 전개하고 있는 것이다. 그러나 현대의학의 이념으로 본다면 동맥, 정맥, 뇌척수계로서 불합리하다고 말할 수 있다.

그러나 이러한 독자적 · 생리학적, 또는 해부학적인 것으로써 인체의 병리를 진단하는 전통적인 의학으로 결론지어지는 병인론(病因論)이나 진단학은 그 나름대로 유용하고도 결과적으로 그 가치를 제시해 주고 있는 것이다.(무시할 수는 없다고 본다.)

오늘날 혈압계, 청진기 등의 현대의학의 초보적이고 기본적인 의료기구 등 일체를 가지지 않고 보는 이 진단기술은 특필할 만하다는 생각이 든다. 즉 금일의 과학문명으로 이루어진 사회 안에서 자라온 사람들이, 더군다나 인지(人智)가 고도로 발달한 결과 의료기구 또는 검사기구 등을 산출시킨 것이다.

이것은 이것대로 유용하면서 대단한 가치를 부여받고 있는 현실하에서 우리 인류가 먼 옛날부터 지니고 받아내려 왔을 우수한 정통한 능력을 상실하게 되었으니 모든 것을 좋으나 싫으나 의료기계나 기구에 의존하지 않고는 아무것도 할 수 없는 시대가 오고 만 것이다. 이것 또한 사실인 것이다. 이러한 시대적 현실의 상황하에서 훈련되고 연마된 이러한 진단능력을 다시 한번 생각, 인식할 필요가 반드시 있다고 확신하는 바이다.

현대의학쪽에서 일상적으로 지적하며 관심이 높은 혈압에 관해서도 이것을 인정(측정)하기 시작하게 된 것도 금세기 초 1904년(日露전쟁 당시) 러시아 의사인 고로도코프라는 사람이 나와서 측정법을 처음 발표하게 된 것이다. 약 100년 전이므로 역사가 그렇게 오래된 것도 아니다. 그래서 지금 시대에는 일반 사람들도 돈만 가지면 쉽사리 가전제품 판매소나 의료기 센터에 가면 살 수 있는 편리한 시대가 된 것이다.

그러나 불행하게도 발명자인 고로도코프가 발표한 후에도 혈압에 관해서 의학계에서는 별로 큰 관심을 보이지 못하고 지내온 것은 사실이다. 그러나 여전히 혈압 문제는 사람의 건강한 본체를 유지하는 데 꼭 필요하다는 중요성을 무시하고 내려온 것도 사실이다. 선진국이라는 일본의학계에서도 혈압계를 설치하면서 진보적 병원이라고는 1928년(昭和 초기)에 와서도 얼마 없었던 것도 사실이다. 1955년(昭和 30년), 약 50년 전만 해도 겨우 눈이 떠서 대기업에서 사원들 검진을 하였으나 그때에도 혈압을 중요시하지 않는 경향이 있었다.

그러다가 혈압이 중요하다고 인식된 것은 1963년에 들어와서 결핵이 숨을 죽이고 고혈압과 당뇨병, 그리고 암이 건강에 치명적이라고 떠들기 시작할 무렵에 또 뇌졸중과 고혈압 양자의 관계가 문제가 되고 나서부터이다.

티베트의학에서는 옛날부터 우매쓰아를 가지고 혈류의 강도나 고저 등, 그리고 혈류의 압력에 따라서 일어나는 그 사람 개인의 고유하고 선천적인 것과 후천적인 것과의 구별, 또 부모로부터 받은 유전성, 즉 불교에서 말하는 전세(前世) 전생(前生)의 업(카르마) 같은 것도 보는 것이다. 이러한 역사는 약 천년 내려온 것이다.(《규씨이》 등 문헌에 의하면)

조다구 박사도 수치적인 면으로는 현대의학의 혈압계 같은 검시기구의 성능이나 기구가 가진 성과의 가치는 인정하고 있었다. 그러나 박사 자신은 결코 맨손으로 진찰하지 일체의 기구는 사용하지 않는다고 말씀하시고 젊은 의학도들 보고는 '선진국의 현대의학에 관해서 관심을 갖는 것은 좋으나 그것은 꼭 우선 티베트의학을 어느 정도 마스터하고 나서 현대의학면을 연구하고 도입하는 자세가 필요하다'고 역설하셨다.

인도 뉴델리에 있는 티베트 메디컬센터에 근무하고 있는 젊은 소장 다무띤은 그의 책상 위에 혈압계를 항상 놓고 있어서 물으니 그것은 쓰아를 가지고 진맥을 보고 나서 나중에 참고로 혈압기로도 사용하면서 비교하느라 보조로 쓰고 있다고 실토하였다. 즉 의사 자신의 정밀도와 기구가 표시하는 데이터를 비교 연구하고 있다는 것이다. 그의 실험으로는 별 차이가 없다는 것이다.

지금도 조다구 박사는 10년을 두고 유럽이나 미국 등지로 해외출장 왕진을 나가신다. 특히 프랑스에서는 매년 가셔서 강연과 임상치료(진단)도 하시고 다망(多忙)하게 움직이고 활동을 계속하신다. 1993년 4월에는 저자가 일본으로도 오시라 해서 관서지방 등 5곳을 순회하시면서 역시 강연도 하시고 희망하는 수진자를 지금까지 언급한 바대로 진맥 진단하시기도 했다. 특히 일상생활과 건강법에 관해 도움이 되는 좋은 말씀을 해주셨다.

제 4 장

티베트 약의 원점을 더듬어서

1. 히말라야산 5천m

1993년 8월 10일, 저자는 로단바스라고 불리우는 고개에 이른다. 이곳은 해발 4천m가 안되는 지점이기도 하다. 주변은 6천m에서 7천m에 달하는 산악으로 그 서쪽 끝에 위치하고 있다.

산봉우리의 설경이 한여름의 벽공(碧空)을 높게 찔러 오른다. 절경이다. 여기는 북인도의 유명한 여름 피서지이기도 하다. 설산(雪山) 지방인 히마자루 부라대슈주(州)인 마나리로부터 시속 40km로 달려서 4시간 정도가 소요되는 고개인 것이다.

약초를 채집하러 나선 부대 약 수십명이 고개를 오른쪽으로 산에 오른다. 동쪽 방향으로 가는데 돌더미들이 많고 해서 여간해서 약초 같은 것은 눈에 보이지 않는다. 선두에 오르는 뉴델리 여의사인 도루카 강가루 여사는 토끼같이 암석 위를 잘 오른다. 저자는 그녀의 뒤를 부지런히 따라서 올라가려고 노력한다.

드디어 폭넓은 거대한 암석의 대지가 경사지며 눈앞에 전개된다. 이러한 산악지대에 황색, 적색, 자색 같은 백화(百花)가 어지럽게 전개되리라고 누가 상상했겠는가?

로단바스

이러한 광대한 파노라마에는 숨을 죽이는 상상이 떠오른다. 그것은 일본의 고산지대에서 볼 수 있는 꽃밭 광경과는 다르다. 백문불여일견(百聞不知一見)이라고 실지로 보지 않고서는 웅장함을 이해할 수 없으리라.

자색 계통의 호렌, 황색 계통의 세루틱, 루루세보, 도오리 루재루보, 소로세루, 쵸돔바 등의 약초 등이다.

루루세보 약초는 시오카마계의 일종으로 귀에서 소리나는 이명증(耳鳴症), 청각장애자에게 사용된다. 적색의 루루세보는 히말라야산계의 약초로서 여름 7, 8월에 개화된다. 적색계의 소로뭇뿌는 뿌리만 약용으로 사용된다.

거대한 돌덩이에서 볼 수 있는 지도모양의 이끼는 널리 퍼져 있다. 이것도 쑤루대익이라고 하는데 약용으로 쓰인다.

아침 6시에는 섭씨 5도이다. 한낮에는 25도 전후의 기온을 보이는 땅이다. 해발 4,600m라고 고도계는 표시해준다.

눈앞의 설중매와 같이 직경이 10cm 정도 되는 백화(白花)가 큰 암석 그늘에 추위에 떨면서 약 30cm의 대를 의지하면서 피어 있음을 발견하였다. 오늘의 채집목표가 달성된 셈이다. 환상의 꽃 캉그라라고 불리우는 꽃이다. 티베트어로는 '눈(雪)의 신(神)'이라고 한다며 의사인 도루카 여사는 말한다. 만나기 힘든 귀한 약용의 꽃이라 한다.

환상의 꽃 캉그라에 대해 그 특징부터 언급하자면 우선 꽃잎이 크고, 두께가 두둑한 편이다. 약용과 그 효능은 불로장수의 약으로 티베트에서는 진귀하게 여기고 있다. 티베트의학에서는 특히 여성병인 자궁계 난소의 보건약초로 애용되고 있다. 중국에서는 남성용 강장제로도 이용되고 있다. 이 계통은 한방과는 다르다. 이 종류 계통의 꽃으로 극도의 낮은 온도인 고산 해발 4,500m 고지에서 꽃 자체가 보온작용을 잘하게 스스로 되어 있어서 얼어죽지 않고 피어 있는 것이다. 여의사인 도루카 여사는 벌써 꽃송이 몇개를 산정에서 흐르는 물에 깨끗이 씻어가지고 갈 준비를 서두르고 있었다.

2. 의사 가정 출신인 도루카 여사

도루카 강가루 여사는 1960년 7월 26일에 티베트 키이론이라고 하는 곳에서 태어났다. 키이론이라는 곳은 네팔의 북방으로 티베트 본토인 니에남 근방이다.

그녀의 부모 모두 티베트의학의 임상의로서 어머니는 로부산 도루마 강가루라고 칭하며, 1990년에 티베트 망명정부가 있는 북인도 다람살라에서 눈을 감았다. 어머니는 명의로서 인도인 환자로부터 존경을 받았으며 의서에 관한 저서도 남겼다. 한편 아버지는 대이링 왕겔이라고 부르며 1973년부터 1976년까지 망명정부의 메디컬센터에서 티베트 약물의 제약을 담당한 중심인물이기도 하였다. 결혼 후 그는 아내의 일상적 임상을 돕기 위해서 약초의 채집과 제약을 주로 도왔다.

도루카 여사가 13세의 소녀 때에 아버지는 죽었다. 지금도 로단바스 부근에는 약초채집 집단의 그룹활동을 위한 숙박시설 등 약재 저장 창고 등의 건물이 남아있는데 그것은 그 당시 세워진 것이다.

부모의 출신지도 키이론으로 일찍부터 함께 티베트의학을 공부한 것 같다. 도루카 여사는 물론 티베트 본토에서 태어났으나 생후 3개월이 되자 언니 4명과 같이 부모를 따라서 인도로 망명하였다. 그것은 1959년 중공군이 티베트에 침입하여 티베트 각지에서 파괴공작을 감행하던 1960년 10월 말이었다.

어머니의 최초 망명지는 따라보스라는 지역이었는데 그곳에서 그녀는 피난민의 진료를 시작했다. 그 무렵 많은 티베트인들이 따라보스에 모여서 고난의 생활을 하고 있었다.

중공군의 무자비한 포화 속에서 준엄한 히말라야 산봉을 넘어 망명한 티베트인들이 수만명에 달했으며, 기아와 추위로 걸인이 다 된 티베트인들이 따라보스 주변에 있는 수용소인 난민 캠프에 수용되어 있었다. 난민들에게 늘 불청객의 병마가 찾아들어 괴롭히는 가운데 여사의 어머니는 귀중한 존재로서 진료에 전념하였다.

얼마 안되어 망명정부가 있는 다람살라에서 티베트병원에 오라는 명을 받아 일가족 전부가 법왕이 주석하고 계시는 다람살라로 이주케 된 것이다. 그 당시 다람살라의 메디컬센터는 망명정부의 교육성(敎育省)에 속해 있었다.

1972년 이전에는 티베트 메디컬센터를 찾아오는 환자수가 하루에 10명 정도였다. 인도인 환자는 전혀 보이지 않았다. 1972년 이래 어머니 도루마 여사가 진료를 하기 시작하자 그녀의 치료기술과 명성이 널리 퍼져서 환자수가 증가하기 시작했다. 딸 도루카는 영국계 학교에 입학했다가 소학교 3학년이 되자 다람살라에 있는 메디컬센터 소속인 티베트 소학교로 전학을 하게 되었다. 그녀의 나이 12세 때였다.

어머니는 티베트어 가정교사를 집으로 청하여 두 자매에게 티베트어 기초교육을 받게 했다. 그녀는 티베트 의학교를 나와 장성하여 현재 북인도 뉴델리에서 진료사업을 하고 있다. 그것은 1980년 3월 이후의 일이다. 뉴델리에서 딸인 도루카 여사가 개원하게 된 동기는 그녀의 어머니가 북인도 부호의 난치병을 완치해 준 보답으로 진료소 일체를 제공한 것이라고 전해지고 있다.

어머니와 그녀의 스승은 처음에는 아직 이르다고 반대했으나 미숙한대로 경험을 쌓아 명의가 되라고 격려하며 그녀를 일찍 뉴델리로 대담하게 파견하기에 이르렀다. 티베트의학과 명의라는 명성이 점차 인도 전역에 알려지기 시작하자 일대 사건이 발생하게 된다.

그러자 질투하는 자가 생겨 지금까지 다람살라 메디컬센터에서 오던 티베트 약품의 보급이 돌연 중단하기에 이르렀다. 이유는 티베트 약품의 생산이 부족하다는 이유였다.

그러나 그녀는 낙심하지 않았다. 그것은 아버지계의 약물 생산제조의 기술과 어머니계의 진료하는 명의로서 전통을 이어받았기에 일대 결심을 하게 되었으니 그것은 1985년부터 필요로 하는 티베트 약품을 직접 산지인 히말라야 산악지대에서 138여 종이나 채집, 뉴델리로 운반하여 제약공장을 별도로 시작하게 이른 것이다. 이때 도루카는 37세의 젊은 여의사였다.

도루카 여사야말로 현대의학계의 세계적 의사상으로 진료와 약초 채집, 그리고 제약품의 생산지도까지 원활하게 운영해 나가는 것을 목격할 때 감탄을 아낌없이 보내는 바이다. 의학계에서 드물게 보는, 특히 젊은 여의사로서 매력적인 존재이기도 하다. 마리봉 3,800m 고지에는 2동의 건물이 서 있으니 하나는 원재약초 등의 임시 보관창고이고, 다른 하나는 7, 8월에 입산하는 약초채집단원들의 숙박에 필요한 건물 등이다.

스위스의 한 의사가 그녀와 합작으로 동서의학센터를 설립, 운영하자는 제의가 들어왔으나 크게 관심이 없는 것 같으며 미국의 약물연구기관에서도 그녀의 약물을 동물에게 실험하고 있다 한다.

그녀가 뉴델리에서 제조하는 의약품은 다람살라의 티베트 약품과는 다소 다르며, 그녀의 독특한 제약법이며 약품이라는 평을 받고 있다. 이러한 관계상 그녀와 다람살라의 메디컬센터와는 일체 인연이 없게 된 것이다.

한편 그녀의 어머니가 경영하던 다람살라의 진료소는 그녀의 자매인 바아산 갸루모 강가루 여사가 계승, 성대히 운영하고 있다고 한다. 여기에는 한때 14세 법왕의 주치의를 지낸 이시댄댄씨의 진료소가 있어서 그는 10년 전 유럽과 미국에 가서 강연도 했고 한문 의서도 발행한 바 있다.

이분도 그가 필요로 하는 약품은 자급자족하는데, 저자는 1987년 4월에 예방하였다. 일본인 여성이 급성간염으로 긴급환자로 위급한 상태였으나 다행히 살아나갔다는 소문을 들었기에 인사겸해서 이시 댄댄씨의 티베트 진료소를 찾아간 것이다. 간염완치약의 성분이란 도루코석(石)에다가 금을 중심으로 한 다수의 약재로서 분말을 가열해서 만들어 낸 것이다.

주치의였던 댄댄 의사 말로는 본인이 제조 처방한 간장약이 질환에 잘 듣는 것 같다고 겸손하게 자랑하였다. 그러나 저자는 그의 간장약 제조 처방 이야기를 열심히 듣다보니 과연 그러한지 신기하기만 했다. 저자는 그길로 다람살라에 있는 티베트 메디컬센터의 의성 텐진 조다구 박사를 찾아갔다.

이야기는 다시 앞으로 돌아간다. 같이 채집차 등산에 나선 동행자의 평균연령은 30대 전반의 건아들이다. 도루카 여사의 나이는 33세였다. 일행 중 다섯 명은 티베트인인데 산을 야생동물처럼 잘 오른다. 약초를 발견하자마자 쭈그려 앉아서 채집을 만족하게 끝내는 그들의 민첩한 동작에는 감탄을 아끼지 않는다.

티베트의학에 필요로 한 다양한 여러 가지 약초들이 처리 분류되면서 큰 걸망 속에 담는 솜씨는 일품이다. 꽃, 가지, 뿌리 등이 분류되면서 채집되는 것이다. 도루카 여사가 12세 때 몸에 익힌 그의 티베트의학에 관한 지식과 경험, 그리고 그의 약초채집하는 솜씨를 바라볼 때 감탄하지 않을 수 없다.

여기는 티베트 국경 약 80km 되는 지점이다. 만년눈이 덮여 있는 대빙하가 경사져 보이는 초원에다가 한 줄로 10여개의 천막을 치고 진을 치니 이것이 바로 약초를 채집나선 대원들의 캠프이다.

그리하여 그날 채취해서 가져온 약재들을 즉시로 식사 전에 도루카 원장으로부터 검사와 분류 등이 행해진다. 약물에 관한 야외강의가 시작되는 것이다. 그후 지프로 마리에서 북방으로 약 6시간을 달려가는 지점에다가 강변가에 천막을 치고 이동, 거기서 잠시 머무른다. 약초채취는 동북간 산악지대에서 행해진다.

인근에는 티베트인들의 작은 촌락이 있었다. 원장은 여기에서 2일을 머무르면서 야외무료 진료를 아침 6시부터 저녁까지 수행했다. 무의촌이기에 남녀노소가 쉴사이 없이 진료소에 찾아왔다. 그녀의 임시진료 천막 주위에 원형을 그리며 앉아 자신의 순번을 기다리는 것이다. 여기 버려진 무의촌의 주민들과는 그전부터 1년에 한두번 여름철이면 약물채취하러 오는 곳이어서 가족적인 친밀감의 인간관계가 있는 것같이 보였다.

뉴델리에 있는 그녀의 병원 조수인 소남 죠앨 약제주임으로부터 티베트의 전통 환약이 수십종이나 비닐 부대에 놓여서 강변에 늘어 놓아졌다. 여의사인 도루카 원장으로부터 쓰아진맥 결과가 처방전에 기입되어 환자의 손으로 넘어간다.

그러면 약제주임인 소남 죠앨은 환약을 작은 주머니에 넣어 환자에게 준다. 모든 것이 무료봉사로 의료봉사, 의료활동인 것이다. 그것은 아름다운 고마움의 표시인 것 같았다. 그것은 여기서 채집된 약초이기에 다시 이 지방 사람들에게 환원해야 된다는 도루카 여의사의 신념인 것 같았다.

거기에는 자연으로부터 받은 은혜의 일부를 인간들에게 보시한다는 불타의 진짜 자비를 여기서 찾아볼 수 있는 것 같아서 저자는 혼자서 그 분위기를 짐작할 수 있었다. 이곳 다루차촌에도 히말라야산의 눈이 녹아서 도도히 흐르기 시작했다.

뒤로는 해발 7,000m나 되는 설산(雪山)의 병풍이 둘러싸여 있었다. 그래도 강력히 내려쬐는 태양빛은 산악과 암반을 갈색, 혹은 녹색으로 찬란하게 내려쬐고 있었다. 이러한 환경에서 진료가 진행되고 있으나 일정한 진찰실이나 약제실, 대기실도 있는 것이 아니다. 아무것도 없는 허허벌판에서 인명의 고통을 덜어주는 의료행위인 것이다.

다람살라를 방문한 역자 방육(오른쪽). 이때 조다구 박사를 만나 진맥을 받았다.

물론 이러한 산악지대인 촌락에서 생활하는 그들에게 일정한 수입이 있을 리 없다. 대자연과의 생활 속에 사는 그들은 답례로 양고기나 티베트 술 같은 것을 가져다 주며 고마움을 표시한다. 한편 촌락인들 중 나서서 약초채집이나 운반을 거든 사람에게는 꼭 임금을 지불하였다.

이미 소개한 것처럼 그녀는 이미 인도 뉴델리에 훌륭한 진찰소를 개설, 하루 평균 100명 내외의 인도인 환자를 보고 있다. 그녀는 잊지 않고 환자 10명 중 3명은 무료환자로서 일체의 치료비를 안받고 돌봐주기도 한다고 누가 말을 전해준다. 일곱명의 유료환자가 충분한 치료비를 주고 가기 때문에 그것으로 무료봉사를 꾸려간다는 이야기였다. 아직 인도에는 의료보험제도가 없어서 병원의사들의 자치적으로 환자에게 의료혜택을 주어야 되는 실정이라 한다.

10일 정도의 채취활동이 끝나 뉴델리로 돌아오는 도중 이따금 손을 들어 차량을 세우는 경우가 가끔 있는데 그것은 어려운 촌락에 있는 환자들이다. 아무리 갈 길이 바빠도 여의사는 차를 무조건 세워서 그늘에 들어가 그들 환자들을 역시 무료로 진찰과 투약을 하고 나서 떠났다. 그녀의 겸허하고 사랑과 넘치는 자비심, 조금도 교만하지 않은 활동을 지켜본 저자는 지금 이러한 광경이란 일본에서는 도저히 찾아볼 수 없는 광경이라 그저 경탄하며 머리를 숙인다.

제 5 장

쓰아의 기본적 사항

1. 환자의 마음가짐

'쓰아' 진맥을 보는 데 있어서 전날 미리 환자에게 요구되는 주의사항이 몇 가지 있으니, 그것은 《규씨이》라고 하는 고전(古典) 의서에는 다음과 같이 기재되어 있다.

- 수진(受診) 전날의 주의사항

(1) 음주나 육류 등의 식사섭취를 피할 것.
(2) 특히 근육부의 마사지를 하지 말 것.
(3) 과로를 가져올 수 있는 육체노동을 금지할 것.
(4) 소화불량의 찬 음식물을 삼갈 것.
(5) 과식과 절식, 혹은 단식하는 것도 좋지 않다.
(6) 진맥 전날 부부관계하는 것을 피해야 된다.
(7) 전날 수면을 충분히 취할 것.
(8) 담소 등으로 정서적으로 흥분하지 않도록 할 것.
(9) 과도의 두뇌노동을 피할 것.
(10) 먼 여행이나 바쁘게 설치지 말 것.

쓰아진단법(《규씨이》 탕카 제54 그림)

상술한 주의사항 등은 전날의 몸상태를 정상적인 상태로 유지하고 정확한 진맥(쓰아)을 보기 위해서이다. 만일 환자쪽에서 상술된 주의사항 가운데 한두개만이라도 안 지키고 병원에 나온다면 그 환자는 정확하며 만족한 진찰을 기대하지 말아야 한다. 그것은 의사의 잘못은 아니기에 환자 자신의 큰 손해라 할 수 있다.

진맥(쓰아)을 보는 적당한 시간이란 언제가 가장 좋을까? 좋은 시간이란 태양이 떠오르는 전후로부터 오전 10시까지를 일단 맥을 보는 데 적합한 시간이라 볼 수 있다.

진맥을 보는 부위는 어디인가? 달라이 라마 14세 법왕의 주석시의(主席侍醫)인 조다구 박사가 강력하게 주창하고 있는 중요한 몇 가지를 소개한다면 다음과 같다.

첫째, 중국의학의 절맥(切脈) 부위하고 절대로 혼동하면 안된다. 물론 유사한 점이 없지 않으나 많은 외국인들은 왕왕 혼돈을 일으키고 있음을 재강조한다.

티베트식 쓰아 진맥을 사용하는 법이란 지두(指頭)의 좌우 양쪽을 가지고서 진맥하는 것으로 중국의학에는 없다. 즉 지륙체(指六體)의 좌우 양쪽인 제2지, 제3지, 제4지의 지두 좌우 양면을 보는 것이다. 12개로 12장기(臟器)를 본다는 것이다. 이것이 곧 티베트의학의 진맥법이어서 엄연히 중국식과는 보는 원점부터가 다르다는 것을 알아야 될 것이다. 이러한 혼동이 발생하는 것은 겉으로만 보고 무책임하게 말하는 것으로 중국의학의 그것과는 이질적 내용을 함축하고 있다 한다.

조다구 박사는 다시 언급하기를 중국의 진맥법이란 6개 장기(심장, 폐, 간, 좌우의 신장, 비장)를 진찰하는 맥법이지만 티베트의학에서는 12장기를 보는 것임을 다시 설명한다.

쓰아(診脈)라고 하는 것은 원래 여자의 태내에서 인체가 형성되는 원점에서 쓰아와라고 하는 용어에서부터 나온 말이다. 그러기에 중국의 절맥(切脈)이라는 용어하고는 근본적으로 다르다는 것이다.

티베트의학의 탕카 도면(圖面)에서 볼 수 있는 것처럼 태아가 6주가 되어야 각 쓰아를 동원하여 진맥이 가능한 것이다. 6주가 지나서부터 태아가 본격적인 성장을 하기 시작하므로 그것이 쓰아로 처음으로 감지되는 것이라 한다.

• **쓰아 진맥을 보는 순서** : 남성은 왼쪽 손목부터 보며, 여성은 오른쪽 손목부터 보라고 《규씨이》 의전에서는 가르치고 있다. 그러나 조다구 박사의 견해로는 좌우 어느 쪽부터 보아야 된다는 원칙이 없다고 주장하고 있다. 좌우를 별도로 보고 나서 좌우를 또 한번 맥을 동시에 비교하며 보는 것이라 한다.

• **쓰아를 볼 때 가하는 힘의 정도** : 이것은 씅, 칸, 차 세 가지가 있으니 씅이란 살짝 사람 손목의 피부에 갖다대는 정도의 힘이고, 칸이란 피하조직의 근육에까지 다다르는 정도의 힘이고, 차란 힘을 다소 가하면 힘이 뼈에까지 다다르는 정도의 힘이다. 여기서 인체가 비만형인 경우는 보통사람보다 힘이 더 가해진다.

티베트의학의 쓰아 진료법은 계절의 영향을 받는 것을 많이 고려함을 기본으로 하고 있다. 즉 계절적 환경의 영향력을 진단에 가미하고 있는 것이다. 티베트력(曆)은 양력이나 음력으로 보는 것과는 차원이 다르다. 티베트 역법에 의하면 1월 15일이면 '다빠'라는 별이 월출(月出)과 더불어 나타난다. 2월 15일에는 '오우'라고 불리우는 별이 나타나며, 3월 15일에는 월출과 동시에 '나구바'라는 별이 출현한다고 한다.

2월에 출현하는 별 '오우'가 뜨는 시기는 입춘의 계절이다. 낮과 밤의 시간이 동일한 계절이다. 가령 1월 15일에 뜨는 '다빠'라는 별이 뜰 때에 남성들의 맥을 보면 여성과 비슷한 맥이 뜬다. 2월에는 보편적으로 맥동이 경케 하는 별이 뜬다고 한다.

티베트역에서 4월에는 '사카'라는 별, 5월 15일에는 '논'이라는 별이 나타나고, 6월 15일에는 '죠도'라고 불리우는 별이 뜨면서 환자의 인체에 영향을 가져오며 이러한 기간에 맥을 보면 크게 뛰는 것이 특징이다.

7월 15일에는 '도싱'이라는 별이 뜬다. 8월 15일에는 '도운대'라는 별이 뜬다. 9월 15일에는 '유쿠'라는 별이 떠서 진맥상에 영향을 주기도 한다. 새가 나와서 사과를 쪼아먹는 시기라 사람들의 맥동도 다소 빨라지고 활발하게 뛴다고 전해진다.

10월 15일에는 '민도구'라는 별이 출현한다. 11월 15일에는 '고오'라는 별이 나타난다. 12월 15일에는 '개루'라고 하는 별이 뜬다. 3개월 간 엄동설한의 추운 시기에는 우선 물이 얼고 만물이 약동을 잠시 중지한 잠자는 계절과도 같아서 대인리라고 불리우는 새울음과 유사하여 사람들의 맥박도 그와 같이 활동성이 약해지는 쓰아로 변하고, 돌아가는 유동적 계절에 많은 영향을 받는다고 티베트의학은 보고 있다.

저자는 이러한 티베트의학에서 보는 쓰아법에 관심이 있어서 이 점을 조다구 박사에게 흥미를 가지고 질문을 던져 보았다.

그는 답하기를 계절 변화의 영향력을 참작하는 것은 그 일부이고 기타의 요인과 요소 등, 즉 수진자(受診者)의 내적 요소로서 연령, 성격, 성질, 직업, 선천적, 그리고 후천적 문제 등 문진(問診) 때 계절에 관한 외적 요소, 가정환경, 그리고 도시, 농촌, 벽지 등 출생지를 참고로 삼는다고 긴 설명을 해주었다.

티베트의학이 옛날부터 일월성신의 운행과 천문점성술에 표리일체의 상관관계가 있다는 것이 《규씨이》 고전에도 기술되어 있다.

점성술이란 고대 바빌로니아에서 시작되었으며 점차로 시대의 바람을 타고 인도, 중국, 페르시아, 그리고 티베트와 한국, 일본 등지로 전파된 것이라고 내다보는 것이다. 여기서부터 천문학이라는 것도 근세에 들어 우리 일반생활에 침투되어 있는 것이다.

이렇게 고대 중세를 거쳐서 인간생활에 밀착된 점성술은 쓰아로서 사용될 뿐더러 인간의 광명쇠퇴의 점도 치고, 운명철학에서 길흉을 식별하는 데도 쓰이고, 전쟁이나 민심, 그리고 농업에도 쓰여진 것은 우리는 인류사를 통해서 잘 알고 있는 역사적 사실이다.

다람살라에 있는 메디컬센터에도 천문학을 연구하는 부서가 있다고는 하나 나의 개인적 입장에서 언급한다면 그러한 점성술이나 천문학 등이 직접적으로 쓰아의 진단법에까지 영향을 준다고는 생각지 않는다고 역설하고 있었다. 그는 흘러온 역사적 사실로서는 부정하지 않았으나, 특히 티베트의학적 입장에서는 인정하지 않는 태도였다.

티베트의학은 종교적 세계와 과학적 체계와의 접점에 위치하고 있다고 보는 것이 좋을 것 같다. 그렇다고 해서 쓰아의 설명을 '영적인 맥관(脈管)'이라고 번역한다는 것은 큰 문제가 있다고 보는 것이다.

이러한 과학적 의학 임상분야에까지 영적이라는 표현을 완매하게 자주 사용할 때가 있는데 이것은 별로 바람직하지 않다. 이러한 결과는 왕왕 비현실적이면서도 무의미한 결과를 가져올 수 있다고 보는 것이다. 이러한 경향은 신흥종교의 집단에서 흔하게 유행하고 있는데 교단의 과시, 그리고 교조의 우상숭배, 초능력자로 추앙하는, 즉 지도이념을 악용하는 데 이용되고 있음을 통탄해 마지않는다.

티베트 의성인 조다구 박사 자신은 원래가 수행자 출신이지만 이러한 종교가로서의 경력을 가지면서도 어디까지나 종교의 이념과 의학은 엄연히 구별되어야 한다고 주장하고 있었다.

박사는 자신의 임상을 통하여 환자를 치료하는 데 있어서도 그것이 정신신경과에 속하는 경우일지라도 끝까지 쓰아 진맥을 통해서 원인이 어디에 있는가를 티베트의 독특한 의술인 침과 뜸, 투약 등으로써 충분히 치료하고 있다고 자신있게 말하고 있다. 또 지금 유럽이나 미국 등지에 망명한 티베트 불교승려들이 많이 있는데 그들 중에는 대·소승과 밀교 분야까지 통달한 승려들 중에 밀교 안에 있는 의사의학(疑似醫學) 분야를 연구하여 높은 경지에 이른 고승들이 있다는 것도 사실이라고 시인하였다.

언뜻 보면 종교적 전도활동하는 것과 불교적 의료활동을 일치시켜 활동하고 있는 것같이 보는 점도 있으나, 본질적으로 다르며, 또 달라야 된다고 역설하였다.

일상생활의 이념이라든가 계율을 세웠으므로, 명상법을 비롯하여 호흡법 등 훌륭한 시스템을 연구하고 전승했다. 따라서 이것을 계승하는 그들은 망명 후 구미(歐美) 사회에 이같은 시스템을 교화(敎化)함으로써 주목을 받은 것도 당연하다. 종교적 관점에서 오는 시스템과 의학적 관점에서 행하는 시스템과는 궤(軌)를 같이하고 있는 것 같으나, 본질적으로는 별개의 것이다. 종교의 도그마는 의학이 지니는 의미와는 일치하지 않는다.

구미에서도 동양에서도 많은 티베트 의학을 소개하는 사람들 중에서는 예전부터 종교학자가 눈에 띄고, 지금에 와서는 저널리스트를 비롯하여 의학과는 거의 인연이 없는, 자칭 문화인들이 많다. 의학의 견지에서 본다면, 어느 부분이 과학적으로 의미가 있는가를 판단할 수가 있으며, 정신의과적 면과 종교나 신앙 분야와의 구분도 가능하다고 할 것이다. 문외한들은 이것을 혼동시켜 버리는 것이다.

극단적인 예를 하나 든다면, 한 저명한 닌마파(派)의 활불(活佛)이 안질(眼疾)로 고생하는 티베트의 부인들에게 활불 자신의 타액(침)을 아픈 눈에 바르게 하는 따위의 장면을 저자는 목격한 일이 있다. 남인도의 구르프라 마을 가까운 규메 밀교학문사(密敎學問寺)의 대강당 낙성식이 성대히 개최되어 수천 명 가까운 남녀노소의 티베트인들이 모여 있었다.

수많은 고승(高僧)들도 모여 있었으나 그 중의 한 사람은, '치료하는 것이 훌륭한 의사와도 같다'는 소문이 난 사람이었다. 민간에는 이와 같은 불결하고 비의학적인 행위가 어디에서나 드물지 않게 행해지고 있다. 어느 밀교계의 불교 교단에서는 이상한 샘물을 안질에 잘 듣는다고 신자들로부터 보시(布施)를 받는 등, 영감상법적(靈感商法的)인 행위가 횡행하고 있는 것도 사실이다.

애기가 밖으로 흘렀으나, 민족의학이나 전승(傳承)의학을 구명해 가는 견지에서, 그 본질에 여러 가지 요소가 엉기므로, 십분 주의해서 볼 필요가 있음을 강조해두고 싶다.

중국에는 고래(古來)로 '오행(五行)'사상이 있다. 요약하자면, 이 우주 천지간에는 일정한 법칙이 있어서, 늘 순환하며 돌고돌아서 잠시도 쉬는 일이 없다고 하는 것이다. 즉 수(水)·화(火)·목(木)·금(金)·토(土)의 5가지 기운이 있어서, 일체의 물건들은 이에 따라서 생성된다는 생각이다. 이 오행에는 상생(相生)과 상극(相剋)의 관계가 있다. 즉 수→목→화→토→금→수의 관계로 수생목(水生木), 화생토(火生土), 토생금(土生金), 금생수(金生水)로 서로 대응해서 생성된다는 것이며, 이것을 상생(相生)이라고 한다.

수(물), 극(이긴다는 剋), 화(불), 화극금(쇠붙이), 금극목(나무), 목극토(흙), 토극수로 물은 불을 이기고, 불은 금을 이기며, 나무는 흙을 이기고, 흙은 물을 이긴다는 것으로, 이것이 상극(相剋)관계이다.

이와 같은 관계를 남성과 여성에 비겨서 상생이 상합하면 화합한 결과 행운을 초래하고, 상극관계의 사람이 서로 어우르면 불화를 불러 재난이 일어난다는 이론이다. 이것이 기초가 되어서 오행역(五行易)이 성립되었다. 즉 역학(易學)이라는 것은 64괘(卦)의 각 효(爻)에 이 오행역을 배치해서 길흉(吉凶)을 판단하는 것이다. 여기서 효(爻)란 역괘(易卦)를 나타내는 표시로서 —을 양(陽)으로 하고, --을 음(陰)으로 한다. 괘는 이 양효와 음효를 짜맞추어서 구성한다. 밑에서부터 초효, 2효, 3효, 4효, 5효, 상(上)효의 순으로 세어간다. 8괘라는 이념으로 주역(周易)에서는 음양의 효를 짜맞춘 8개의 도형으로 자연계로부터 인생사만반(人生事萬般)의 현상을 점치는 것이다.

이 8가지란, 천(天)은 건(乾)이고, 지(地)는 곤(坤)이며, 수(水)는 감(坎)이요, 화(火)는 이(離)이며, 우레(雷)는 진(震)이요, 못(澤)은 태(兌)이고, 산(山)은 간(艮)이며, 바람(風)은 손(巽)이라는 즉 건, 곤, 감, 리, 진, 태, 간, 손을 말하는데, 이것을 서로 짜맞추어 나가는 것이다.

이 오행설은 우리나라에도 전해져서 지금까지도 사주추명(四柱推命 : 生年, 生月, 生日, 生時로 평생의 길흉을 알아보는 것)의 기본이 되고 있다. 티베트의 아스트로지이에도 이 사상이 있어서 《규씨이》의 탕카 그림을 보면 확실하다. 이것을 쓰아에 적용하고 있는 것이 특징이고, 각 계절의 쓰아 상태를 수・화・목・금・토의 5가지로 나누어서 상생상극의 관계를 나타내고 있는 것이다. 티베트의학에서는 지금은 쓰고 있지 않으나, 예전에는 이 방법을 쓰고 있었다는 것이다. 여기서 티베트 천문력(天文曆)을 이해하는 면에서 흥미있는 것을 조금 정리해 보았다.

중국을 기원으로 하는 오행설(五行說)이긴 하지만, 티베트에서는 같은 내용이더라도 표현상에 차이가 있다. 즉, 목(木)은 화(火)의 어미이다. 화(火)는 토(土)의 어미이고, 토는 금의 어미, 금은 수의 어미이며, 수는 목의 어미라는 표현은 앞서 말한 수

생목, 즉 물은 나무를 낳는다는 표현이다.

상생과 상극을 쓩, 칸, 차, 즉 둘째손가락, 셋째손가락, 넷째손가락으로 화(火), 목(木), 수(水)를 판독한다. 대상은 각 계절의 72일 간을 모두 쓩으로 읽는다. 72일 간에 이어지는 18일 간을 칸으로 읽는다. 이 72일이나 18일 간이란 것은 다음 표로 이해해 주기 바란다.

1달 30일간	〈72+18일〉	쓰아를 읽는 위치	오행의 배치
1월 2월 3월	90일의 처음 72일 간 →	쓩으로 읽는다	목(木)
	이어지는 봄의 끝쪽 18일 간 →	칸으로 읽는다	토(土)
4월 5월 6월	90일의 처음 72일 간 →	쓩으로 읽는다	화(火)
	이어지는 여름의 끝쪽 18일 간 ↓	칸으로 읽는다	토(土)
7월 8월 9월	90일의 처음 72일 간 →	쓩으로 읽는다	금(金)
	이어지는 가을의 끝쪽 18일 간 →	칸으로 읽는다	토(土)
10월 11월 12월	90일의 처음 72일 간 →	쓩으로 읽는다	수(水)
	이어지는 겨울의 나머지 18일 간 →	칸으로 읽는다	토(土)

* 나머지 18일 간은 모두 토(土)에 속한다. 쓩은 둘째손가락이고, 칸은 셋째손가락으로 읽는다.

1년을 360일로 하고 있는 것이 티베트 역법(曆法)이다. 이 가운데 각 계절에 72일이 4번, 모두 288일, 그리고 각 계절의 72일에 이어지는 18일이 4번으로 합계 72일, 전체가 360일이 된다. 태양력과는 5일과 4분의 1의 오차가 있으나, 이 오차는 모아져서 30일, 즉 한 달이 되는 해에 윤달을 한 달 더 두어서 수정하는 것이다.(우리의 음력과 같다)

• 티베트 역법(曆法)

티베트 달력은 기본적으로 중국 기원의 간지(干支)에 의하여 세는 방법을 쓴다. 간지에 의한 기년법(紀年法)을 발명한 중국에서 도입한 것은 토번왕국(吐蕃王國) 성립 때였으나, 당시에는 12지(支)만으로 연수(年數)를 표시하고, 10간(干)은 쓰지 않았던 것 같다. 유목민(遊牧民)이던 그들 사회에는 정착이 되지 않았던 것인지도 모른다.

티베트에서 불교를 탄압한 것으로 유명한 달마 위두무쎈, 즉 란달마왕(880년대)의 란이란 축(丑)년을 말하는 것으로, 그는 축년에 태어났으므로 란달마왕이라고 불리고 있는 것이다. 12지의 수법(數法)만으로 표현한 보기이다. 그 뒤, '시륜(時輪) 탄트라'의 역학(曆學)이 확립되어 옴에 따라, 간지(干支) 병용 시스템이 일상적으로 사용되게 된 것으로 짐작되고 있다.

시륜의 역법은 중국과 인도가 공통된다. 이 시륜에서는 1027년을 기초로 하여 구성하고 있다. 이 해를 '불과 허공과 바다의 해'라는 은어적(隱語的) 표현으로 표현하고 있다고 한다.

이 화(火)는 삼각형, 즉 △꼴을 지닌 5원소(元素)의 하나이고, 3의 은어(隱語)이다. 허공은 제로, 즉 0이다. 바다의 수(數)는 4개가 있다는, 즉 4해(四海)라 생각하고 있었으므로 4로, 그래서 403이 된다. 이것은 이슬람력(曆)의 403년, 서력 기원 1027년에 해당된다.

이슬람력은 태양력으로 1년을 354일로 한다. 윤월을 생각하지 않는다. 이슬람교를 창출한 지역은 4계절이 뚜렷하지 않은 지대이므로 이슬람력에서는 36년의 주기로 한 바퀴 도는 시스템에 위화감이 없었던 것일 게다.

즉 이슬람에서는 서력법이라든가, 태음·태양력의 대략 35년 동안, 36년이 지나게 되어 1년 간의 오차가 생긴다. 티베트에서는 달의 차고 기우는 주기 12개월로써 360일로 삼는다. 윤달을 추가하여 수정한다. 즉 지구가 태양을 공전하는 주기 365일과 4분의 1을 합치시키기 위한 조절변(調節弁)의 구실을 윤달로 감당시킨다. 이슬람력에는 그것이 없다.

얘기는 본론으로 되돌아가서, 1027년을 기점으로 하며, 티베트에서는 이 기원을 라프준이라 부르고 시륜(時輪) 탄트라와 그의 가르침이 환상의 나라 션버러 왕국으로부터 인도로 전래된 중요한 변동하기 어려운 해로 삼고 있다. 즉 시륜계(時輪系)의 역법에서는 해(年)를 나타내는 데에 '라프준으로부터 몇번째의 간지(干支)의 해'라고 표현한다.

달라이 라마 5세는 1617년 정사년(丁巳年)에 태어났으므로, 이것은 '라프준 제10의 정사년'에 해당되므로, 1027년으로부터 10번째로 돌아온 정사년에 해당하는 것이다. 현재, 망명(亡命) 티베트의 달라이 라마 법왕청에서의 계산법은 '투프씨'의 권위자인 푸크퍼 룬투프걈쓰오의 설에 따르고 있으며, 메디컬센터에서 판매되고 있는 달력은, 이 푸크류(流)의 계산법으로 만들어지고 있다. 즉, 시륜 탄트라의 주장에 따른 것이다. 이 역법은 인도의 불교를 멸망시킨 이슬람교의 멸망을 예언하고, 그 존속기간을 예측하기 위한 것이기도 했다.

이제 월수(月數)의 시스템으로 얘기를 진전시키겠는데, 인도라든지, 동양에서는 달의 궤도인 백도(白道)상에 28의 별자리, 즉 28수(宿)를 배치하고, 만월(滿月 : 보름달)이 어느 성수에 머무는가로 그 달의 호칭을, 성수(星宿), 즉 별자리 이름으로 부르는 것이다.

인도에서는 1년의 시작을 춘분의 다음달의 신월(新月)의 날로 했다. 춘분 다음의 만월은 28수의 각수(角宿)에 머무는 수가 많으므로 각수월(角宿月)이라는 뜻으로 차이트라월(月)이라고 한다.

28수(宿) : 각(角), 항(亢), 저(氐), 방(房), 심(心), 미(尾), 기(箕), 두(斗), 우(牛), 여(女), 허(虛), 위(危), 실(室), 벽(壁), 규(奎), 루(婁), 위(胃), 묘(昴), 필(畢), 자(觜), 삼(參), 정(井), 귀(鬼), 유(柳), 성(星), 장(張), 익(翼), 진(軫)

시륜 탄트라 역법에서는 이 차이트라월을 1월로 하고 있었으나 뒤에 와서 동지(冬至) 다음다음달을 1월로 하기로 바꾸었기 때문에 1월을 호올의 달이라고 한다. 말하자면 호올다이다. 그 기원은 알 수 없으나 이 '호올'이란 '몽골'이라는 뜻의 티베트어(語)로 몽골대제국의 치세하에 당시의 중국과의 교섭과 접촉이 깊어져서 중국의 역법(曆法)이 일반에게 보급되게 된 것이라고 한다. 이 호올다를 1월로 하면, 앞서 말한 각수(角宿)의 달, 즉 차이트라월은 3월, 그 다음달인 4월은 바이샤카월(月), 즉 저월(氐月)에 해당한다.

한편, 일수(日數)의 시스템에서는 신월, 즉 초승달이 돋는 날(朔)을 제1일로 하고, 만월달을 15일로 하므로 우리의 음력과 비슷하다. 시륜 탄트라의 만다라는 신밀(身密), 구밀(口密), 의

밀(意密)의 3밀 중의 신밀륜(身密輪)에 12개월을 소원륜(小圓輪 : 작은 동그라미) 12개로 아름답게 표현하고, 한 달의 소원륜 하나하나에 남존(男尊)과 여존(女尊) 30존(尊)으로써 30일을 나타내고 있다. 이런 수법(手法)은 천문력법(天文曆法)과 만다라 이론을 결합시킨 시스템으로 미의식(美意識)과 종교이념을 합치시키고 있는 것이다.

이렇게 보아 가면, 오행설에 의해서 1월부터 12월까지의 1년을 각 계절의 72일 간과 18일 간의 짜맞춤으로써 미래나 인생을 예측하는 것이다. 쓰아를 읽는 방법에 달력에 의한 설정(設定)과 구조가 이 역법에 얽혀 있는 것이다. 그러나 이것은 티베트의학 그 자체는 아니고, 쓰아를 이 같은 면에도 이용하고 있다는 특징을 소개한 것뿐이며, 조다구 박사 자신은 관심을 안 가지고 있다고 대답하고 있다. 저자가 이 같은 면을 소개한 것은 쓰아를 영적매관(靈的脈管)이라고 하는 것과 같은 표현으로 소개하는 경향이 있으므로, 문제를 혼란시키지 않으려는 뜻에서 한 선을 그어 놓은 것뿐이다.

《규씨이》의 탕카 그림 중에서 쓰아 그림은 9장이 있으나, 의학계의 것은 3~4장이고, 나머지 5~6장은 의학과는 무관하다. 이 의학과 무관한 그림에는 길흉화복(吉凶禍福)의 테마가 묘사되어 있다.

2. 정신의학(精神醫學)면에서 본 쓰아 진맥

우매쓰아, 루마쓰아, 잔마쓰아 등 이 세가지 기본적 쓰아는 형체나 색채 등 현상적인 것으로서는 표현할 수가 없는 것이다. 볼 수 있는 물체가 아니기에 예민한 감각으로 감지되어야 하는 것이다. 지금의 티베트 달라이 라마 법왕의 차석 시의(侍醫)인 왕겔 박사와 대화한 내용을 정신의학적 견지에서 본 것이다.

정신이란 시각으로 포착되는 것도 아니며, 그렇다고 육체를 분리시킬 수도 없는 실정이고 보니 티베트의학에서는 이것을 '룽'이라고 부르는데 이것은 정신적 존재이기도 하여 느낌으로 느낄 수는 있으나 포착은 안되는 것이다.

여기서 사람과 말(馬)과의 관계를 고찰해보자. 우선 인간이 활동하기 위해서는 말이 필요하다. 사람과 말의 관계는 정신과 육체 관계와도 같다. 고로 '룽'에 관해서 알려면 우선 인간정신면을 잘 알아야 된다.

서양의학에서는 정신은 사람 두뇌의 소산이라고 말하고 있다. 인도의 단도리고나 티베트의학에서도 정신이란 사후에도 윤회를 한다고 보고 또 종교적으로도 그렇게 믿고 있는 것이다. 신체에 있었던 '룽'이라는 힘은 인체가 죽으면 같이 소멸되어 버린다. 두뇌는 죽음이 오면 활동작용도 정지되면서 '룽'의 힘도 점차 약화되면서 없어져 버리는 것이다. 여기서 중요한 것은 정신과 '룽'은 분리되어 존재한다는 것이다. 즉 정신이 곧 '룽'이 아니고 별개의 것인 것이다.

윤회사상을 본다면 윤회는 정신적 조종으로서 가능케 할 수 있다고 본다. 인간이 생존하고 있을 때에는 정신(셈)은 '룽' 안에 있다고 한다. 이러한 존재의 '룽'도 다섯가지 종류가 있으니 다음과 같다.

① 소구진 ② 깬규 ③ 쟌뿌대이 ④ 맨냐무 ⑤ 도오시이

이러한 다섯가지의 '룽'은 신체의 운동성을 의미하고 있으며 정신하고는 무관한 것이다.

즉 '룽'은 눈, 귀, 코, 혀, 몸 다섯가지의 '룽'과 ①의 소구진하고 결합, 소위 육근이 형성되는 것이다. 이러한 정신계하고 관련이 있는 '룽'은 대별하여 두 가지가 있으니 다구바하고 라구바이다. 어디까지나 유동적인 존재이다. 신체의 오른쪽은 루마쓰아, 왼쪽은 잔마쓰아, 중앙은 우매쓰아가 지지하고 있는데 이것은 고전인 종교적 단도리고 입장으로의 해설이지 의학과는 완전 일치되지는 않는다. 의학에서는 주체적으로 우매쓰아는 동맥계이고, 루마쓰아는 정맥계이며, 잔마쓰아는 뇌하수체이다.

다구바는 심장의 우매쓰아에 존재한다. 라구바는 잔마쓰아와 루마쓰아에 들어 있다.

이것은 이해하기 쉬운 설명이지만, 어디까지나 예로서의 설명이고, 유동적인 존재인 것이다. 신체의 오른쪽을 루마쓰아, 왼쪽을 잔마쓰아, 중앙을 우매쓰아가 지배하고 있다. 이것은 단도리고의 입장에서의 해석이고, 의학과 완전히 일치하는 것은 아니다. 즉 의학에서는 주체적으로 우매쓰아는 동맥계(動脈系), 루마쓰아는 정맥계, 잔마쓰아는 뇌척수계이다.

우매쓰아는 파르쓰아라고 하는 이가 있으나 이것은 잘못이다. 파르쓰아는 아니다. 우메쓰아는 배꼽에서 위쪽으로 가는 것으로 바깥쪽은 푸르고 안쪽은 붉다.

우매쓰아는 몸 전체에 5개의 커다란 지맥(支脈)을 가지고 있으나, 다시 더 머리에서 32개의 분기(分岐), 후두부(喉頭部 : 氣

管의 上部)에서 32개, 심장부(心臟部)에서는 8개가 다시 3개씩 나뉘어져서 합계 24개로 분기(分岐)한다. 배꼽 부위에서 32개, 국소(局所 : 일정한 곳)에서 32개가 흐르고 있다. 앞서 말한 다구바는 심장의 우매쓰아에 있는데 8개에서 3개씩 분기해서 합계 24개가 되고, 다시 3개씩 분기해서 72개로, 그 하나에서 천개씩이 분기하여 합계 7만 2천개를 헤아린다. 그 7만 2천개에 라구바와 룽과 정신의 3가지가 존재한다.

• 죽음과 전생(轉生)

라구바는 루마쓰아나 잔마쓰아에 들어있으나 라구바는 인체의 운동성과 미각이나 감각성 등을 판단하는 것으로서 사람 죽음이 가까워지면 우선 루마쓰아와 잔마쓰아 등의 맥박활동이 정지된다. 따라서 우매쓰아도 같이 정지된다. 정신은 우매쓰아에 들어있어서 우매쓰아의 정지로써 정신은 여기서 일단은 분리된다.

다구바가 소실되면 정신이 분리되어가며, 신체의 상부로부터 백광(白光)을 발하게 되며 하부로부터는 적광(赤光)을 발하게 된다. 이것은 무엇을 말하냐 하면 사람이 죽으면 정신면이 전부 사라지는 것이 아니라 정신의 일부는 신체에서 분리되어 '바루도'라고 하는 곳으로 들어가는데 죽음과 삶의 중간 상태로 불교에서 말하는 중유(中有)니 중음(中陰)이니 하는 것과 같은 것이기도 하다.

이러한 정신의학이란 관점에서 티베트의학은 간혹 고전인 단도리고와도 개념이 합해질 때도 있으나 시륜(時輪) 탄트라의 교리와 티베트의학적 분야와 완전히 일치되지는 않는다고 본다.

최신 간행된 서적 《티베트 사자(死者)의 서》라는 책에서도 보면 티베트의학에서도 정신의학상의 해설도 나오고 있음을 볼 수 있다.

현재 일본에서 논의되고 있는 뇌사와 장기이식에 관해서 저자는 다음과 같이 질문을 던져 보았다. 가령 어느 사람이 뇌사된 단계에서 그로부터 심장을 도려내어 이식하는(타인에게) 경우에 관해서였다.

박사는 말하기를, 뇌사라는 것은 사람이 완전히 죽은 상태가 아니기에 아직은 심장이 고동하고 있기에 살아있으므로 타인에게 이식시켜 보겠다는 의도는 이해는 되나 티베트의학에서는 인간은 전생(轉生)한다는 교리를 믿고 있기에 사람 생명의 존엄성에 입각한다면 동시에 전생한다는 이념에 관한 존엄성을 무시하는 행위로 보아 찬성할 수 없다고 잘라 말했다. 이러한 생명의 존엄성과 전생에 대한 법칙도 무시하는 자세에 관해서 왕겔 박사도 전술한 바와 같이 쓰아와 정신과의 연결성을 인위적으로 파계하는 것이라고 부정적 입장을 취하고 있었다.

언뜻 생각하면 자비정사라는 포교정신에 입각해 본다면 아름다운 미덕행위처럼 느껴지기도 하겠지만, 사람의 심장이나 기타의 장기를 본인의 의사에 따라 하는데 무슨 군소리냐라고 하기 쉽다. 그러나 이러한 행위가 일반사회의 통념으로 등장시키는 데는 좀 문제가 있다고 보는 것이다.

자연파괴니 환경오염이니 핵개발 등 인류의 우주적 범죄 사회에서 보시한다는 간단한 생각으로 처리되어야 될 문제가 아니라고 저자 자신도 공감하는 바이다.

'다구바'는 외부적 요소인 지(地)·수(水)·화(火)·풍(風)·공(空)의 다섯가지 원소(元素)와는 무관하다고 왕겔 박사는 피력하고 있다. '다구바'라는 것은 색도 없고 눈에 보이지 않기에 실체로서 존재하고 있지만 볼 수 없는 것이다. 여기에 반해서 '라구바'는 실체가 안보이기는 하나 감득할 수 있는 대상인 것이다. 가령 호흡이란 작용도 감득할 수 있으나 육안으로는 볼 수 없는 것과 같다.

'쟌뿌대이룽'이라는 것이 있는데 이것은 섭식작용을 하는 '룽'인데 이것이 없으면 식사하는 운동작용이 상실된다. 이것도 일종의 '식욕'인데 눈에 보이지 않는 작용인 것이다. 그러기에 많은 정신요소란 '다구바'에서는 여성이 임신할 때, 혹은 사람이 죽어서 다시 전생할 때 정신이 태내에 들어갈 때가 초7일이 되어야 '룽'이 들어가게 되는 것은 정신이 들어가고 나서이다. 정신인 셈이 제일 위가 된다.

이러한 내용은 문헌에는 명시되지 않고(특히 티베트 불교의 닌마파의 문헌) 각(覺)을 증득한 고승들의 수행체험으로써 결과가 제자들에 의해서 전해져 오고 있는 것이라 한다. 그러나 같은 티베트 불교지만 겔루파의 교단에서는 그에 관한 견해가 다른 것으로 전해진다.

즉 한마디로 말하자면 원초적 정신이라고 하는 존재란 누가 마음대로 좌우 조종을 하며 마음대로 움직이는 존재가 아니기에 여러 가지 선천적 요소의 정신적 질환을 초래하게 되는 것이라 한다.(선천적인 業感緣起法에 일어나는 인과응보를 말하는 것 같다.)

'라구바'에 관해서는 정신적 질환을 세가지 요소로 본다. 그것은 불교에서 말하는 탐(貪)・진(瞋)・치(癡)의 삼독(三毒)을 가리킨다. 이 세가지 번뇌로 말미암아 여러 가지 질환이 발생되는 것이라 보는 것이다. 조정을 잘하면 좋은데 만일 조정을 잘 못하는 경우에는 여러 가지 질병이 발생하게 되는 것이다. 이것은 마음먹기에 따라서 내외적으로 조종할 수 있으며, 의학적인 면에서도 충분히 해결될 수 있는 대상인 것이다.

이러한 정신적 질환에는 다음의 7항목으로 분류하며 열거하고 있다. 룽, 치이바, 빼겐 등이 부조화를 일으키면 여러 가지 정신질환이 일어나는 것이라 한다. 정서적 불안정은 비관(非觀)과 비애(悲哀) 등으로 '이도웅'에 의해, 독성의 인자(식물 등), 악마적 작용은 죠바에 의해서 일어난다고 한다. 죠바 5원소(地・水・火・風・空)에 대응하는 유해한 영향은 급성마비 증세나 간질(애뿌레부시) 발작 증상과 관련있다. 또 의식상실증, 경련 등의 증세도 수반한다.

여기서 중요한 것은 티베트의학에서 언급하는 정신병 질환이란 지금 서양의학에서 분류하는 정신질환과는 일치되지 않는 점도 없지 않다고 조다구 박사는 피력하고 있다.

이러한 정신계의 질환을 치유하는 방법으로는 평상시의 명상법이나 호흡법인 조식(調息) 연습으로서 쾌유시키는 방법도 (약물치료가 아닌 자연요법) 왕겔 박사는 역설한다. 즉 일체의 욕망을 없애며 유연한 선적인 것에 초점을 맞춰가면서 명상을 시도해본다. 동시에 주문 등을 암송하는 것도 좋은 방법이 될 것이다.

그러나 이러한 정신질환자에게 조다구 박사 자신은 침과 뜸, 기타의 투약으로도 고칠 수 있다는 점을 부인하였다.

한 티베트 불교의 승려인 환자가 있었는데 30세 남자였다. 티베트 본토인 라사 부근에 살고 있던 승려인데 사원 안에서 수행 중에 중국공산주의 관료들이 침입하여 폭력을 가하면서 즉시 비생산적인 승려생활을 포기하고 일반인으로 돌아가 환속하여 노동자 생활을 할 것을 강행당하자 그는 장래가 유망한 승려였기에 아쉬움과 미련이 있었다.

그러나 중국관료들의 탄압이 나날이 심해갔다. 밤마다 그로 인하여 고뇌하는 상태가 몇개월인가 지나자 자신도 모르는 사이에 그러한 강박관념 때문에 정신에 이상을 초래해 폐인이 되다시피 되었다. 그러나 요행히 친구의 도움을 받아 무사히 중공 치하에서 탈출하여 망명정부가 있는 다람살라에 망명하게 되었다.

저자가 방문하였을 때에는 메디컬센터에 입원하여 1년의 치유생활이 지났는데, 병원 직원들의 따뜻한 간호를 받고서 8개월 만에 정신적·육체적 모두 정상적으로 회복되는 것을 목격한 바가 있다. 머리에는 침과 뜸의 치료를 받으면서 내복약으로는 아갈계의 약을 먹고 있었다.

• 티크레란

쓰아와 룽에 관해서는 앞 항목에서 말했으나, 여기서는 3개의 쓰아 중 우매쓰아가 중요한 존재가 된다. 우매쓰아에 룽이 들어가고 그 내부에 티크레가 존재한다. 이 티크레를 정적(精滴), 또는 심적(心滴)이라고 번역하는 경향이 있으나, 이 글자에서 받는 인상으로는 무슨 뜻인지 이해가 안된다. 티크레에서는 다음과 같은 것을 이해해 주기 바란다.

우매쓰아, 룽, 그리고 티크레는 신체의 어느 곳에나 있다고 하며, 실체는 보이지 않는 정신적 존재라고 해석할 수 있다. 이를테면, 우매쓰아는 건물로 말하자면, 그 건물의 주인공이다. 그 건물 속에 룽도 존재하고, 또 이 룽과 미세한 관계를 가지는 티크레가 가득차 있다고 한다.

그렇다면 이 티크레는 어디서 생겼는가 하는 것이 문제인데, 티베트 의학에서는 심장에 의해서라고 표현한다. 이것은 인체의 중앙부에 중요한 기능을 가지고 존재하는 심장에 일체의 역할을 지니게 할 생각이 있어서 다른 경우에도 채용되고 있다. 즉, 심장에서 나온다는 뜻뿐이고, 해부생리학적인 근거가 있는 것은 아니다.

신체의 하부로부터 상부로 주행(走行)하는 우매쓰아가 심장을 중심축(軸)으로 설명하고 있는 것뿐이라고 이해해도 좋다. 우매쓰아말고도 달리 쓰아와아라든가, 쓰아두티라는 표현이 있다. 참고로 혈액과 룽은 심장에서 나오므로 우매쓰아의 박동을 파르쓰아라든가 듸쓰아라고도 한다. 이 티크레가 존재하는 우매쓰아의 내부는 붉고, 외부의 소견은 푸르스름하다고 왕겔 의사는 말한다.

또, 이 티크레는 룽의 작용을 지배하는 심적(心的)인 에센스이다. 명상시의 호흡조절이라든가, 관상(觀想), 만트라를 외는 수행(修行) 중에서 이 티크레는 신체나 정신을 컨트롤하고 정화하는 구실을 한다. 즉 티크레는 우매쓰아와 룽과 삼위일체의 존재이다.

명상(瞑想 : 티베트어로 고오므)을 장기간에 걸쳐서 체험을 거듭한 사람이라면 이 뜻은 이해할 수가 있다. 저자도 20수년 이 고오므를 매일 이른 아침에, 거르지 않고 하고 있지만, 하나의 대상, 이를테면 타라불(佛)이라든가, 멘라(藥師佛)에 의식을 집중시키고 호흡을 가다듬어 만트라를 외워가는 과정에서 그 대상과 일체화하는 순간을 항상 체험하고 있다.

그 주관적 심리경과(心理經過)를 객관적으로 바라본다면, 이 우매쓰아와 룽과 티크레의 삼위일체가 경험적으로 설명된다. 그것은 볼 수가 없는 존재이지만, 느낄 수가 있는 것이다. 이 경우는 심적(心滴)이라고 표현해도 좋을 것이다.

따라서 이 경우, 해부나 생리학적 면에서의 신경계(神經系), 혈관계(血管系)에 대응하고 있으면서 그러면서도 우매쓰아, 루마쓰아, 잔마쓰아는 그들과 같은 것이 아니라, 미세한 존재가 따로 있어서, 그 하나에 티크레가 있어서, 우매쓰아 속에서 룽에 대응하고 있는 것이다. 티베트의학이 불교와의 관련에 있어서 이 정신의학적인 견해를 가지고 있는 것은 중요한 의의(意義)가 있으며, 금일적(今日的)인 의미가 있는 것으로 여기고 싶다.

여기서는 우매쓰아는 머리 정수리에서 아래쪽으로 내달아, 배꼽 바로 밑으로 달한다고 친다. 이 중앙을 내닫는 우매쓰아는 공동(空洞)인데, 파란 빛을 내는 것으로 되어 있다. 이것은 신경계의 척수(脊髓)와 같은 것은 아니지만, 그것과도 대응하고 있는 수직축(垂直軸)이다.

또 루마쓰아는 얼굴의 위쪽 미간(眉間)의 조금 위쪽에서 이 우매쓰아에서 갈라져 신체의 오른쪽을 우매쓰아와 나란히, 아래쪽으로 내달아 배꼽 밑에서 우매쓰아와 연접(連接)한다. 잔마쓰아는 신체의 왼쪽을 마찬가지로 내닫는다. 뿐만 아니라, 이 루마와 잔마는 중앙의 우매쓰아와 엉겨 있다. 티베트 불교의 어느 파(派)에서는 중앙의 우매쓰아는 생식기로 연접하는 것으로 생각하고 있다. 이 3개의 쓰아가 현대의학에서 신체적으로 설명하는 것과 전혀 다르다.

또한 티베트 불교의 각 단도리고에 의해서 해석에 다소의 차이가 있다. 그것은 각파의 조사(祖師)들이 명상하면서 수행하는 동안에 경험적으로 얻은 심리의 세계에서 깨달은 것을 제자들에게 전승하는 가운데 지도한 시스템이기 때문이다.

티베트 의학의 학설 그 자체가 단도리고의 분야와 관련되는 부분이 있으나 불교 자체에서는 더더구나 수행이라든가, 호흡법이라든가 명상법 중에서 따로 개발한 것이어서, 수많은 소개 책자의 내용이 차이가 있거나 모순이 눈에 띄는 것은 이상과 같은 사정이 있는 때문이다.

3. 왕겔 박사의 경력에 관해서

1994년 인도 맨쓰이칸에 티베트의학 진료소를 새로 개원했을 때 저자는 참석하게 되어서, 왕겔 박사를 처음으로 대하게 되었다. 그는 법왕 시의(侍醫) 네명 중의 한 사람이다. 당시 왕겔 박사의 나이는 73세였다.

그는 티베트의 수도인 라사 부근에 있는 마을 종개촌이라는 시골에서 태어났다. 할아버지도 아버지도 의사는 아니었다. 그가

왕겔 박사

의술의 길로 입문하게 된 것은 라사에 있는 의료센터인 맨쓰이칸에서 있었던 선발에서 합격되자 의학교에 입학하게 된 것이다. 1947년에 의학교를 졸업하고 맨쓰이칸에서 의사로서 근무하게 되었다.

그의 가계는 유명한 군대린족으로 (집단적 종족) 저명한 고승대덕을 많이 산출했다. 1959년 중공군이 티베트 수도인 라사에 침입하여 정치·사회적으로 혼란하게 되자 중공군 포로가 되어 반체제분자로서 다른 의사들과 같이 체포되어 7년 간의 형무소 생활을 했다. 그후 얼마 안가서 그가 의사라는 것을 알고 의료활동을 명하니 어쩔 수 없이 수행하게 되었다.

그 당시 중공군은 불교를 탄압하며 말살을 강행했다. 그러한 와중에도 중국의학에 관해서 공부할 수 있는 기회가 1, 2년 주어져 중국의학도 같이 연구하면서 치료활동에 종사하게 되었다. 거기서 주사 사용법 등 약간의 현대의학도 알게 되었다.

그후 그는 1983년에 인도로 망명하게 되었으니 중공군에게 체포된 지 24년 만에 빠져나오게 된 것이다. 그것은 불행히도 조건부 망명이었다. 보증인을 세워서 6개월 내로 다시 돌아와야 된다는 임시 휴가와 같은 것이었다.

14세 달라이 라마 법왕은 중국으로 돌아가는 것을 반대하면서 그를 가지 못하게 중국정부에 항의서를 전달하고 중국 치하인 티베트 본토로 돌아가는 것을 허가하지 않았다. 2년의 체재신청 기간이 지난 금일도 그는 망명정부가 있는 북인도 다람살라에 거주하며 현재는 법왕 직계인 메디컬센터에서 젊은 의사 양성과 지도 등을 하면서 진료센터의 주임의사로서 특진도 가고 특히 정신의학면의 전문의 역할을 하였다.

법왕의 수석시의인 조다구 박사는 매년 프랑스에 가서 강연과 연구발표를 하고 돌아온다. 프랑스의 많은 정신계 질환자들, 즉 망상증, 환각, 환청, 악령접신자들에게 티베트의학의 소구론(侖流) 쓰아의 진맥법으로 병을 잡아내어 티베트의학의 약제로서 치료하니 좋은 결과를 얻었다 한다.

의학에는 직접 관계는 없으나 어느 때 조다구 박사에게 망명 사실을 법왕의 쓰아에서 예견했느냐고 물어보았다.

당시 시의(侍醫)이던 윤텐 탓체가 역법의 분야도 겸하고 있었으므로 법왕의 쓰아로 인해서 가까운 시일 내에 바람직하지 못한 사건이 일어날 것으로 그는 예견했다. 쓰아로 예견했던 상태는 케에쓰아라고 하여, 가시 같은 불연속적인 것이 있으므로 나쁜 징조라고 보고(報告)했다. 구체적으로는 알 수 없으나, 여하튼 커다란 사태의 발생을 예견할 수가 있었다. 이 시의는 1959년 3월에 중공군에 잡혀가 형무소에서 옥사한 인물이다.

《규씨이》에는 대리맥을 보는 법이 있는데 이것은 말 그대로 대리자가 내원(來院) 환자를 대신해서 보는 진맥법이다. 즉, 남편이 환자라면 그 부인이 와서 남편의 맥을 대신 받고 가는 것이다. 부인의 맥을 통해서 남편에게 투약으로써 치료하는 방법을 말한다.

그러나 티베트 의성인 조다구 박사에게 이러한 대리맥을 어떻게 보느냐고 질문하니, 그는 웃으면서 이야기만 들었을 뿐 본인은 그러한 대리맥 같은 것은 인정하고 싶지 않다면서 혹 티베트 승려들이 그러한 진맥법을 퍼트렸다면 크게 반성해야 될 문제라고 구히 부정적인 견해를 피력하였다. 약 반세기 전에는 그러한 것이 한때는 인정을 받고 성한 적이 있었던 것 같다고 그는 조심스럽게 말했다.

4. 박동(搏動)에 관한 판단

티베트의학에서는 사람이 한번 호흡하는 데 5번의 박동이 보통 건강한 사람의 평균치라고 한다. 만일 이것이 10회가 넘으면 열성질환(熱性疾患)으로 목숨이 위험한 것으로 간주되기도 한다. 이것은 오행(五行 : 木火土金水) 안에서 룽이 문제가 되는데 티베트의학에서는 토(土), 수(水), 화(火), 풍(風)의 네가지가 의학상 중요하다고 보는 것이다.

매월 전반에 있어서 오른손 쓰아의 박동이 5회 중에서 1회를 정지하는 경우, 또 후반(그달)에 가서도 왼손 쓰아의 진동이 다섯번 중 한번만 정지하게 되는 경우 그 사람은 죽음이 가까운 것으로 판단하고 있는 것이다.

티베트의학 그림(탕카)에 보면 남녀의 성별에 따라 반대되는 현상이 오는데 조다구 박사는 말하기를 이러한 성별 등의 차이를 두는 것은 무의미한 것이라 주장하고 있다. 이것은 티베트의

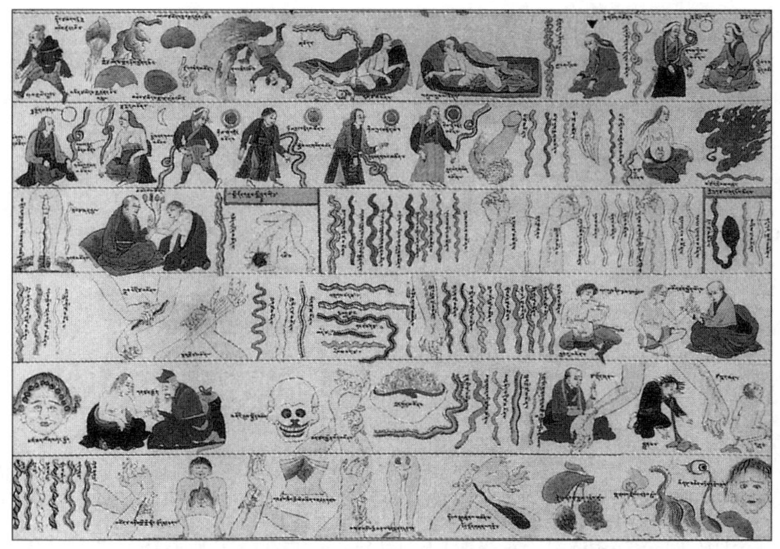

쓰아의 일반적 특징과 병적 특징(《규씨이》 탕카 제60 그림)

학에 있어서의 부정맥(不整脈)에 관한 이야기를 하고 있는 것이다.

보통 인간은 평균적으로 한번 호흡하는데 5번 박동이 정상인데 2번밖에 안뛰는 경우 이러한 느린 지맥(遲脈)은 체력이 약하여 치료될 희망이 없는 사람으로 보는 것이다. 그와 반대도 안 좋으니 6회부터 9회를 뛴다면 그 사람은 고열성 질환으로 죽음이 가까운 사람으로 보는 것이다.

쓰아의 박동은 보통 18가지 종류가 있는데 그러나 《규씨이》 탕카 도면에는 9가지로만 표시되어 있다. 여기에 관해서 인도에 있는 티베트 여의사인 도루카 여사는 이러한 이론적인 박동은 지맥, 세소맥(細小脈) 등으로 가끔 이상한 쓰아의 박맥(搏脈)이 임상중에 나오기 때문에 실질적으로 명백한 바른 진단이란 간단하지 않다고 말하고 있다.

신체 각부와 결합되는 쓰아의 줄은 전부가 360체(體)인데 이것을 다음 세가지 분야로 축소해서 식별하기도 한다.

하나는 밖의 부분인데 피부와 근육의 각 조직과 연결되는 쓰아만 120체이고 그 하나마다 700체로 분류되어 주행하고 있는 것이다.

다음은 안에서 일어나는, 즉 골부(骨部)와 골수부(骨髓部)하고 결합되는 쓰아는 120체이고 그 하나마다 700체로 분류되어 주행하고 있는 것이다.

달의 차고 이지러짐, 즉 월령(月齡)에 따라서 영향을 받는 잔마쓰아(腦脊髓系)가 존재한다. 어느 중국계(中國系)의 번역본에서는 망삭맥(望朔脈)이라 하고, 정수리에 월령과 대응하는 쓰아가 있다고 했으나 이것은 잘못이라고 박사는 말한다. 즉 여성의 경우, 월령의 16일부터 30일까지는 영향을 받는 잔마쓰아는 자궁에 존재하며 루마쓰아라고 한다. 남성의 경우 월령의 1일부터 15일의 기간, 정소(精巢)에 영향을 받는 잔마쓰아에 존재한다. 이것을 잔마페룬의 쓰아라고 한다.

이들 잔마쓰아는 달의 운행에 의하여 달의 인력이 쓰아를 좌우하고, 또 룽에 속하는 다른 쓰아는 바람(風)원소에 의해서, 치이바는 혈액과 함께 불(火)원소의 힘에 좌우된다. 달의 인력은 인체의 일체에 미치는데, 이 중에서도 특히 잔마쓰아에 강하게 작용하고 있다고 한다.

이들 《규씨이》의 그림 전반에서 서방 이란계(系)의 작풍(作風)이 감지된다. 이를테면, 티베트적(的)이라면 인체의 묘사에서

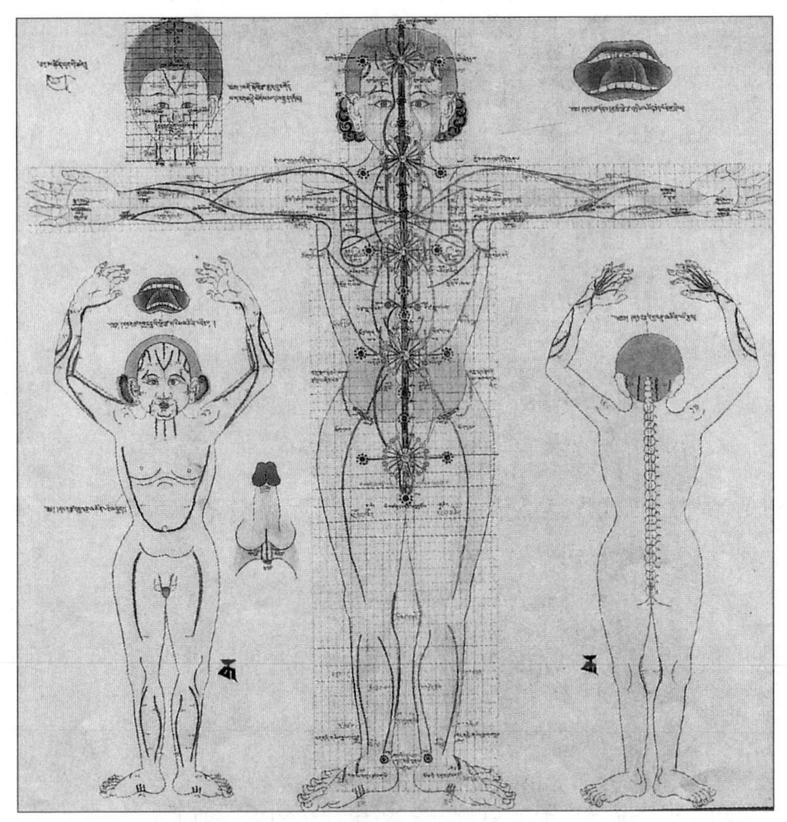

혈관계 전면도(前面圖)(《규씨이》 탕카 제9 그림)

다리 부분을 좌우로 크게 벌리는 방식은 쓰지 않는다고 조다구 박사는 지적한다. 다리 부분을 크게 벌리는 자세는 분명히 서방 페르시아계 것이라고 한다.

5. 쓰아의 진단부위의 변화와 쓰아의 주행

쓰아 진맥을 보는 수는 42가지가 있다. 쓰아를 볼 때 피부 쓩이라고 한다. 칸(皮下조직)·챠(骨部) 각부에다 손가락의 압력을 서서히 가하는 것이다. 이것은 이미 설명한 바이다. 옛날에 보는 쓰아법이란 뼈 아래를 살짝 누르면서 맥을 보았다. 그러던 것이 백년 전에 티베트 본토인 카우지방에 있는 의사 미이반 림포체가 나와 뼈의 바로 아래를 맥 보는 것은 별로 효과가 없으며 진마인 요골(橈骨) 바로 밑을 눌러서 보는 것이 정확한 진맥법이라고 주장했다.

다음은 우매쓰아(赤色), 루마쓰아(黑色), 잔마쓰아(白色) 세가지 쓰아의 주행(走行) 관계이다. 우매쓰아와 루마쓰아는 같이 평행으로 주행한다. 잔마쓰아는 머리인 두부(頭部)로부터 등 가운데 뒤를 따라 하부로 향해 주행한다.

우매쓰아는 중앙에 있는 배꼽으로부터 좌우 콩팥으로 들어가 간장(肝臟)→폐장(肺臟)→심장(心臟)→경동맥(頸動脈)→두부(頭部)와 좌우 팔로 흘러간다.

기술한 바에 의하면 쓰아가 42가지 종류가 있다고는 하나 임상상의 진단에 꼭 필요한 것은 한두개뿐이라 한다.

• 침(鍼)과 구(灸), 그리고 쓰아 진맥법

중국 한방(漢方)에서 침의 사용은 인체의 소위 경락이라는 여러곳의 구혈(灸穴)을 찾아가면서 침(針)을 꽂는데, 티베트의술에서는 사람 머리에만 놓는다.

구(灸)에 있어서는 우선 진맥을 보고 나서 특히 심장이나 혈압쪽으로 이상이 있으면 뜸을 뜨는 것을 피한다. 이 점을 대단히 중요시하고 있다.

티베트의학에서는 뜸치료법을 좋아하지 않는다. 그러나 중국의학에 있어서 구혈이 바로 뜸을 뜨는 자리로 정해져 있기에 치료를 하게 된다는 것이 티베트의학과 다른 점이다. 그러나 조다구 박사는 주장한다. 이러한 침과 뜸의 치료법의 본가(本家)는 중국이 아니고 티베트라고.

6. 룽, 치이바, 빼겐

룽은 42수이다. 주로 심장활동계와 신체의 운동계로 대별한다. 치이바는 26수이다. 이 줄은 신체의 화기를 본다. 즉 에너지를 보는 것이다. 간장쪽으로부터 오른쪽 복부 전체와 동정맥계(動靜脈系)의 쓰아는 모두 치이바로 연결된다.

빼겐은 33수이다. 식도의 하부(下部)에서 관절, 두정(頭頂) 등을 본다. 그래서 세가지를 총합하면 모두 101수가 된다.

치이바는 음식의 소화, 색채 감각이나 안색을 보며 조화를 조정한다. 시각에도 관계한다. 소화작용으로 제1은 섭취, 제2는 소화흡수가 되어야 되고, 제3은 배설이 문제가 되는 것이다.

치이바는 세가지에 모두 관련되는 것이다. 즉 제2의 소화흡수에 문제가 생기면 치이바에 관계되는 신체 각부에 안좋은 증세가 금방 나타나게 되는 것이다.

룽은 생명력에 크게 관계한다. 그래서 룽의 중심은 두정(頭頂)에 있다고 하는데 사실은 그렇지 않다. 중심은 심장에 있는 것이다. 상행이니 하행이니 하고 '룽'을 설명하는데 그것은 잘못된 이야기이고 룽은 전신으로 퍼져서 존재하고 있다고 조다구

박사는 말하고 있다. 세 번째인 빼겐에는 다섯가지 종류의 작용이 있으니

(1) 물질을 고형화하고 나서 그 반대로 분해하는 작용.

(2) 미각에 관해서 단맛 떫은맛 매운맛 신맛 등의 감각작용.

(3) 다리, 팔 등의 굴신 운동을 하는 근육작용을 한다.

그러기에 상술한 룽, 치이바, 빼겐 세가지는 별개의 독립된 것이 아니고 상호간에 무엇인가 연결, 관련된 작용을 하는 것이다.

배설에는 땀, 오줌, 대변 등이 있다. 빼겐은 지(地)와 수(水)하고 관계되고, '룽'은 풍(風)에 관계되며, 치이바는 화(火)와 관계된다. 상술한 세가지는 궁극에는 지・수・화・풍, 다음 공(空)에 관여하게 되는 것이다.

여성들이 매월 하는 생리가 끝난 직후의 하루, 이틀은 임신되는 율이 가장 높다고 티베트의학에서는 보고 있다. 옛날부터 티베트에서는 그렇게 전해지고 있다 한다. 또 수태하고 나서 6개월이 지나면 모태의 쓰아를 통해 아기의 성별이 충분히 드러날 수 있다고 한다.

7. 질환의 주된 원인

(1) 과거세로부터 업력, 악업으로 인해 발생된 요소의 병 등은 투약으로만 어렵다.

(2) 후천적인 일상생활에서부터 발생하고, 무절제한 생활에서부터 오는 것.

(3) 폭음, 폭식, 즉 과도한 음주, 전투에 의한 부상, 사회적인

스트레스, 가족들간의 인간관계의 원인.

(4) 선천적인 요인을 내포한 정신질환.

여기의 정신적 질환에서 사령(死靈), 생령(生靈), 사기(邪氣) 등 괴상한 기에 원인이 있다고 크게 떠들고 있으나 의학적으로 냉철하게 고찰한다면 이것은 어디까지나 환자 본인의 마음가짐에 달려있는 것이지 정통적인 전문의사의 입장으로서는 그러한 관념적인 신비성을 가지고 환자를 다루는 의사가 존재하는 시대는 지났다고 조다구 박사는 역설한다.

의성(醫聖) 조다구 박사는 언급하기를, 현대인들은 정신적 가치관이 상실되어 물질 제일주의로서 물욕적 인생관으로 달리고 있기 때문에 정신적 갈등이나 스트레스 등 여러 가지의 정신질환 환자들이 선진국인 유럽과 미국에 특히 많은 것 같다고 지적하고 있다.

더 중요한 요인, 소위 물질 과학문명의 이기인 텔레비전, 컴퓨터, 기타의 전기 전파로 사용하는 기구에서 오는 여러 장해를 지적해 주었다. 이것은 우리들이 모르는 사이에 직접, 간접으로 안좋은 영향을 받고 있음을 또한 지적하고 있다.

8. 《규씨이》와 의학적 탕카

《규씨이》는 티베트의학 사상 중요한 고전적 의학서이다. 8세기의 의성(醫聖)인 유두씨가 만든 것이라 하며, 17세기에 와서 달라이 라마 5세의 섭정인 상케씨가 신교정판인 목판으로 인쇄하게 된 것이라 한다. 천년이라는 공백시기에 따라 의서의 주석판이 나왔으나 그 중 원서는 하나도 없다. 《규씨이》의 의전(醫典)은 4부로 구성되어 있다.

제1부는 의학 총논문의 개념으로 6장으로 되어 있고, 제2부는 인체의 해부 생리, 질병의 원인과 병리, 식생활과 일상생활, 제약과 약물, 의료기구에 관해서 질병의 진단과 치료 방침 등 31장으로 되어 있다.

제3부는 일상적으로 시도되는 임상을 내과, 외과, 부인과, 소아과 등에 있어서의 병세와 그에 관한 치료방법 등 92장으로 되어 있다. 제4부는 쓰아의 진단법, 요검사, 채혈법, 침과 뜸의 경락, 또 약물의 사용법 등 27장으로 되어 있다.

이것들은 의왕(醫王)인 약사여래에게 5명의 사람이 문답하는 형식으로 논술되어 있다. 현재 망명정부가 있는 다람살라 티베트 의료원에 가면 《규씨이》의 복사판을 입수할 수 있다. 여기에 있는 의학교에서는 학생들의 교재로서, 또 다른 현대의학적 해부도 같은 것 등 3권을 학습교재로 사용하고 있다.

그러나 《규씨이》의 원전 자체는 아닌 것이다. 왜냐하면 원래 《규씨이》의 원전 의서는 난해난입으로 문장을 알기가 쉽지 않다고 한다. 그래서 옛날부터 티베트의학에서는 도면을 통해서 의학을 설명하는 소위 도면의학으로 전승되는 것이 특징인 것이다.

토번 왕조 시의(侍醫)인 빼치씨가 3부만을 만들었고 그후 《규씨이》는 티베트의학에 널리 활용되었다. 동시에 도면의학도 같이 발전되었다. 그후 12세기에 와서 《규씨이》를 대개정하면서 닌마씨의 후계자들이 많이 나와서 제자들을 교육, 13세기에는 명의들에 대해서 인체해부, 기타 약물용 식물의 그림 도표까지 나오게 되었던 것이다.

이러한 《규씨이》 발전과정에서 14세기에 와서는 2대 의가(醫家)의 계통의 영향을 받아 (스카라 가문과 잔바계) 의학에 관한 인체 해부도 같은 것이 대량으로 작성되었다. 이러한 것 등이 모여서 후일에 《규씨이》의 탕카 같은 것이 완성되는 과정이 된 것이다. 달라이 라마 5세 때(1617~1682) 지금 전승된 바 탕카 의서의 그림 79점이 완성되었다.

특히 달라이 라마 5세의 섭정인 상케씨 당대에는 티베트 전체의 의사들과 유명한 화가들이 모여서 종전의 각파에 전래된 것을 재검토하면서 새로운 의료 작품을 많이 제작하게 된 것이다. 1688년에는 총 60점이 제작되었다.

그후 《규씨이》를 근원으로 삼고 침·뜸에 관한 도면, 약초 그림 등을 보충시켜 총 79점으로 늘어난 것이다. 이때가 1703년대였다. 이로 인한 의학 도면이 나와 의가(醫家)에서는 물론이요, 일반층에서도 여기에 관한 관심이 많아져서 도면을 보면서 약학, 위생 일반, 의학 전반에 이해심이 증가하게 된 것은 사실이다. 이 당시 의성인 상게씨는 아버지가 있는 나라 몽고에도 77점의 탕카를 제작해서 증정한 바 있다. 본질적으로 동일한 것을 보냈다고 전한다.

1959년 티베트에 중공군이 침입하자 중국 북경정부는 이상하게도 티베트의학에 지대한 관심을 가지기 시작했다. 즉 의학이나 약학면에 큰 가치가 있음을 인식한 것이다. 《규씨이》의 탕카 일체를 몰수하고 보존하면서 79점에다 다른 명의의 1편을 덧붙여 80점의 탕카를 입수하게 이른 것이다. 의학에 대한 침략이라고도 볼 수 있는 것이다.

현재 달라이 라마 14세 법왕은 이러한 불법적인 착취에 북경 정후에 항의하고, 망명정부에 있는 메디컬센터에서는 부득이 1995년에 《규씨이》 탕카 80점을 재판으로 다시 만들게 되었다.

이러한 복구작업을 수행한 작성 주임은 메디컬센터 소속 따와 박사이다. 1995년에는 다시 5점을 보충하여 중국판과 식별하고 이를 인정하지 않는다는 뜻에서 법왕정부가 인정한다는 증거로서 13세 법왕의 시의(侍醫) 사진을 찍어 사용하고 있다. 그런가 하면 중국판에는 13세 법왕의 시의 제자의 사진을 찍어 맞대결 상태로 들어갔다.

따와 박사는 특히 그림면에서도 우수한 소질이 있는 의사이기도 하다. 근년에 들어와서도 티베트 약초에 관한 스케치를 통해서 현 메디컬센터에서 색채를 사용한 약초도감을 발행하고 있다.

그리고 탕카에 관한 일체를 다시 묘사하는 작업에 들어갔다. 4~5년 내에 완성할 것이라고 하는데 몇명이 주야로 정진하고 있는 것이다.

저자가 앞장서서 지원한 신진진료소 2층 건물 안에서 그들 스태프는 열심히 제작 작업을 계속하고 있다. 따와 박사는 1995년에 그의 작품 일부를 유럽에서 전시할 것이라는 이야기를 들었다.

따와 박사는 아직 전도가 양양한 젊은 의학자이다. 티베트가 중공에게 점령당하고 난 후 수도 라사에서 태어났다. 중국정부의 지배하에서 의학교에서도 공부했으며, 후에 선발되어서 북경에 있는 인민학교에 유학도 했다. 라사로 다시 돌아온 그에게 중국정부는 그에게 티베트병원에 배치하였으나 좀체로 좋은 기회를 주지 않아 외국인들의 관광 사진사로 그의 책임과 의학과는 관계없는 분야에서 시간을 보냈다고 한다.

그는 최후로 망명기회를 모색하면서 빠져나갈 정보 입수에 전념하다가 기회를 포착하여 병원에 같이 근무하던 한 티베트 여성과 도망나오는 데 성공한다. 그의 부인은 망명할 것에 반대하여 결국 부인을 버리고 다른 인연있는 의학도 여인과 사경을 넘는 데 성공하였다.

약 한달에 걸쳐 히말라야의 준엄한 산맥을 넘어 네팔로 월경(越境)하자 네팔 관리가 이들을 잡아서 중국으로 인계하였다. 인계되는 과정에서 카트만두까지 탈출에 성공하여 망명정부가 있는 북인도 다람살라에까지 구사일생으로 넘어온 것이다. 같이 도망나온 여인은 정식으로 결혼하여 맨쓰이칸의 약제실 주임으로 일하고 있다.

이러한 이야기는 망명한 티베트인 모두에게 있는 것이다. 참으로 웃지 못할 심각한 문제이다. 중국 치하의 티베트가 얼마나 고난에 빠져 있는지 여실히 보여주는 것이다. 상술한 바 티베트의 탕카가 몽고로 한 구 그대로 증정된 것을 언급한 바 있다. 법왕의 형이 가끔 몽고로 나가시는데 기회가 있어 그가 (놀부림포체) 탕카 도면을 카메라로 촬영하는 데 성공하여 현재 메디컬센터에서 자료로써 보관하고 있다.

1959년에는 14세 법왕이 티베트에서 탈출, 망명할 때 빈몸으로 나오느라 탕카를 못가지고 왔으나, 현재는 다행히 몽고에서 온 것으로 사용하고 있는 실정이라 한다.

제 6 장

티베트 불교적 시점에서의 해석

1. 기도의 의의

망명정부가 있는 다람살라에는 비구니 암자가 셋 있다. 그중 하나인 겐덴 조우룽 사원의 원장인 유일한 비구스님인 군조쿠사(師, 69세)에게 저자는 정신병 질환에 관해서 승려로서 어떠한 사명을 가지고 대하고 있느냐는 질문을 던져 여러 가지 문제점을 가지고 진지한 토의를 한 적이 있다.

'의사는 그러한 환자에게 물론 약물을 투여할 것이다. 그러나 승려 입장으로서는 경전과 주문으로 나쁜 업을 사하도록 기도를 하는 것 이외에는 별다른 방법이 없다. 경전은 이 경우 돌마(타라)의 관음경전을 흔히 쓴다. 흰 타라, 녹색 타라의 구별은 하지 않는다. 어느 쪽이든 상관없으나 두 가지 다 쓰는 쪽이 바람직하다. 관음경전 독송을 잘하는 편이다. 여기에 있어서의 효과는 어디까지나 상대적으로 기도를 올리는 스님의 법력과 원력이 중요하다면서 역시 굳은 신념과 신앙심에 입각, 절대적으로 믿는 환자의 의식이 공히 필요한 것 아니겠는가'고 거듭 부언하신다.

저자는 다시 한번 질문했다. 지금까지 경험하신 환자 기도에 관해서 좀더 구체적으로 설명해줄 것을 부탁해 보았다. 새로 부임한 겐덴 원장께서는 해본 일이 없으나 전에 주석했던 세라사(寺)에서는 여러번 기도(특별)를 해서 환자의 병을 고친 경험이 있었다. 그러나 법당에서 하는 것보다 직접 환자의 집에서 하는 경우가 많은데 가족들도 같이 동참하니 큰 효과가 있는 것 같다고 고백한 바 있었다. 참석한 안택기도에는 4, 5명의 승려들이 참석, 거의 하루종일 기도하는데 비교적 청결한 음식을 단에 올려놓고 한다고 한다.

군조쿠 쓸팀사(師)

저자는 또 약사여래에 대해서도 질문했다. 티베트 불교 불화가 300존이라면 그중에 9존이 약사여래불이라고 한다. 티베트 불교에서는 석가모니불이 약사여래로 화신하여 의학을 교수하고 병자를 치료한다는 신앙심이 있는 것이 특징이다. 이러한 점에서 약사불(맨라)의 존재로부터 나온 것이라고 생각하고 있는 것이다. 맨라이신 약사여래는 오른손에 나뭇가지 하나를 항상 들고 계신데 여기에 관해서 물어보니 미로바란이라 불리우는 나뭇가지인데 일체의 질환에 크게 약효가 있다고 말한다.

그러면 티베트 불교에서 특히 종교로서 어떠한 질병을 보통 다스리냐고 물었다. 특히 룽(風)이 잘 안 통하는 사람에게 병이 잘 생긴다 한다. 쓰아(診脈)로 풍(風)이 잘 유통되지 않음으로써 일어나는 현상인데 토(土), 수(水), 화(火), 풍(風) 등의 4원소가 상호 조화를 잃고, 고루 신체 내에서 기능을 발하지 못한 결과 모든 질병이 일어나는 것이라 보는 것이다.

의사가 직접 고승에게 환자를 보아달라고 소개하며 넘기는 수도 있고, 반대로 승려쪽에서 소관이 아니라고 병원 의사쪽으로 넘기는 경우가 있다고 보는데 거기에 관해서도 질문을 했다.

그러나 대개는 일반적으로 병원진단 후 투약을 받고 나서 스님쪽으로 오는 경우가 많다. 인연이 있어서 그러한 인연법으로 의사의 소개를 받고 승려에게 찾아오는 경우도 있다. 생각해보면 옛날에는 티베트에 병원이 없어 병이 나면 대부분의 사람들이 사원으로, 혹은 암자로 스님들한테 찾아가게 된 것이고, 거기서 절과 병원의 두가지 역할을 스님들께서 하게 된 것이라고 군조쿠사(師)는 말하였다.

자신도 티베트 본사인 세라사(寺)에서 청년승으로 있을 때 복부에 무엇인가 고체 같은 것이 생겨 만지면 진통이 있어 겁이 났다. 그래서 명상과 오체투지를 10만번 했는데 처음에는 부대를 복부에다 대고 5만번을 하고 나서 혹이 사라진 경험담을 여기서 독자들에게 소개하는 바이다.

저자는 환자 진찰시 승려 자신들이 의사가 보는 쓰아진맥을 통해서 환자 진찰을 한다는 이야긴가 하고 물었다. 이 질문에 대해 그는 '그렇지는 않으나 가끔은 고승 중에는 잘 보는 분도 있다'고 했다. 그러나 자신은 현재로서는 그러한 능력은 없다고 겸손하게 말한다.

일반적으로 수행도 별로 없고 정신이 맑지 않은 승려들로서는 환자의 질병을 치유한다는 것은 바라기 힘들다고 했다. 더러는 명상법으로 병을 찾아내고 치유하는 고승도 가끔 있는 것으로 본인은 알고 있다. 쓰아진맥도 일반 의사 이상으로 잘 보는 스님들도 물론 있다.

쓰아는 적색 쓰아, 백색 쓰아, 흑색 쓰아로 경전에서도 그렇게 언급되어 있으나 차카라(성스러운 숨구멍)하고는 구별해야 되며 같은 것이 아니라 한다. 차라리 명상법은 일종의 4개의 차카라를 내면으로 보는 것이다.

비파사나와 비슷한 수행법으로 두정(頭頂)에 마음과 정신이 집중되며 두부(頭部)쓰아에 룽이 들어가 충만해지면 그 룽이라는 에너지(영력)가 전신에 퍼져 육신과 심리적으로 환희를 느끼며 법희가 충만해서 열반의 경지에까지 도달하게 되니 마라(魔)나 악령(惡靈) 등은 사라지게 되며 고통은 자연적으로 멀어지게 되는 것이 아니냐고 말하였다.

숨을 들이쉬고 내쉴 때 숫자를 세는 것이다. 호흡의 길고 짧은 것은 그렇게 문제되는 것이 아니다. 그것은 사람에 따라서 차이가 있게 마련이다. 흔히 들이마시는 숨은 길게 하고, 내쉬는 숨은 짧게 하라고 말하는데 그것은 관계가 없다고 말한다. 겔루파에서는 호기(呼氣)와 흡기(吸氣)가 동일하게 호흡하는 것이 이상적이라고 주장한다.

마음, 정신은 일정하게 고정된 상태가 아니고 여기로 저기로 산란해지는 것이기에 요는 하나로 집중시키는 훈련이 무엇보다 필요한 것이고, 이것이 잘될 때 다음 단계로 자신이 믿고 있는 대상인 불(佛)이나 화두나 기타의 대상으로 고정 집중시킬 수 있는 것이다. 여기서부터 겨우 명상이라는 본질적인 수행으로 들어갈 수 있다.

주의해야 할 것은 호흡법을 시도할 때 너무 어렵고 다양하게 생각하면 입문하기가 힘든 법이니 1대1로 대상을 정해서 자연스럽게 호흡하도록 해야 한다.

명상시에는 첫째, 신체를 부동명왕(不動明王)처럼 고정시키고 기분을 산란케 하지 말며 가부좌(靜座 등)하는 자세를 똑바로 갖는 등 8가지 규범을 반드시 지켜야 한다.

군조쿠 법사는 현재 70이 넘었다. 티베트 본토에서 태어나 인도로 망명하여 인도에서 6년 주석하였다. 이탈리아로 가서 티베트 사원을 건립한 후 다시 세라사(寺)에 주석하고 있는데 많은 이탈리아 신도들이 따르고 있으며, 일본 대곡(大谷)대학에 있는 쓰루댐사(師)와도 친교가 있다고 자신을 소개했다.

지금은 300여명의 비구법회(比丘法會)로서 지도관리를 하고 있으며 주지직을 맡고 있다. 주지로 취임한 것은 1995년 1월이었다.

켄보란 사찰 운영 일체를 책임 지는 주지직을 가리킨다. 켄보란 법계는 법왕께서 직접 임명한다고 한다. 지금까지의 서술된 내용은 특히 정신의학면에서 양자(불교와 의학)가 상호간에 밀접한 관계가 있음을 보여주고 있는 것이다.

2. 수태의 원리에 관해서

《규씨이》 탕카에서 전개되는 수태로부터 출생까지의 경과를 관찰해보면 비상한 특징을 발견할 수 있다. 그것에 관해서 현대 의학에서는 너무나 간단하게 설명하고 있으니, 즉 요약한다면 정자와 난자가 서로 결합하여 수태가 되고 10개월 동안 모태에서 자라다가 분만한다고 되어 있다.

그러나 티베트의학에서는 그것만 가지고서는 성립되지 않는다고 한다. 즉 수정의 작용은 육체적으로만 접촉했다고 금방 아기가 수태되는 것이 아니라 3요소인 룽, 치이바, 빼겐 등이 조화됨으로써 아기가 생기는 것으로 티베트의학에서는 보고 있다는 것이다. 거기다가 목(木), 토(土), 수(水), 화(火), 풍(風)의 다섯가지가 관여함으로써 완전수태가 가능하다고 본다는 것이다. 그와 반대로 사람이 죽을 때에 상술한 요소 등이 상실되는 것이다.

수태란 결코 남녀간의 성교만 가지고는 안된다는 점을 강조하고 있다. 가령 어떤 남성의 정액이 약간 단맛이 나면 삼요소(룽, 치이바, 빼겐)가 조화되어 있다는 증거이며, 반대로 그 빛이 노르스름하고 약간 쓴맛이 느껴진다면 수태될 가능성이 상실되었다고 보는 것이다.

즉 남성쪽에서 수태가 가능하자면 다음의 네가지가 정액에 나타나야 되는 것이다.

(1)백색이어야 되고 (2)중후감이 있어야 되며 (3)양도 많아야 한다. (4)미각으로는 상술한 바와 같이 약간 감미로워야 된다.

여성쪽 임신수태에 관해서 언급하자면 액상체(液狀體)는 빨간색, 즉 혈액의 색깔을 지니고 있으나 (티베트의학에서는 월경만을 말하는 것은 아니다) 손에 묻어도 물로 씻으면 금방 지워질 수 있는 상태, 마치 토끼의 피처럼 이러한 상태의 좋은 생식기

안에 정액(정자)이 들어갈 때 49일이라는 과정을 거쳐서 수태 후의 과정이 진전되는 것이다.

티베트 불교의 입장에서 본다면 태아는 빠루도라는 49일 안에 전생에 의해서 인도환생하는 기간에 들어 가는 것이 아닐까. 임신이 이러한 상태에서 안된다고는 생각하지 않는 것이다.

즉 전생이라는 것은(현상은) 사람의 정신이 안에 들어간다고 보는 것이기에 빠루도라는 기간 중에 들어가 성장하는 생명체를 유산시킨다는 것은 일종의 살인, 살생행위라고 하여 용서받지 못하게 계율이 엄하다 한다.

남성의 정액이 불량하다고 할 때는 언제인가? 다음의 세가지로 요약한다.

(1)룽에 무엇인가 이상이 있는 남성의 정액은 흑색이고 부드럽지 않다.

(2)치이바에 이상이 생기면 노란색에다 악취가 난다.

(3)빼겐에 이상이 생길 때 색깔은 선명하지 못하고 촉감이 냉(冷)하다. 손에 묻혀보면 강하게 끈적거린다.

이러한 점은 여성의 생리와도 흡사한 데가 있다고 본다. 여성의 생리가 불량하다고 하는 경우는 다음 두가지이다.

(1)생리가 불순할 때

(2)생리가 전혀 없을 때

이러한 여성들에게는 임신을 바라기 힘들다. 임신을 해도 연이 없기 때문에 정신이 결합되지 못한다. 그래서 연이 있어야 결합이 가능하기 때문에 여기서는 연을 중요시한다.

상술한 바 티베트의학에서는 수태에 관해서 다음의 네가지 필수적 조건을 제기하고 있다.

(1)남성이 건강이 좋아야 하고

(2)여성이 건강이 좋아야 하고

(3)지(地), 수(水), 화(火), 풍(風), 공(空)이 같이 작용하여야 한다.

(4)남녀가 다같이 룽, 치이바, 빼겐 세가지가 이상이 없어야 한다.

여기서 가장 중요한 것은 룽이다. 의서인 《규씨이》에서는 매주의 상황을 설명하고 있으나 역시 중심은 룽인데, 이것은 생명체를 전체로 상정하는 것이기에 중요시하는 것이라고 본다. 여기서 중요한 조건이란 남녀의 관계가 아무리 좋아도 정신이 들어갈 수 있는 '레', 즉 인연이 없다면 태아가 성립될 수 없다고 보는 것이다.

다시 부언하면 티베트의학에서는 인연법을 중요시한다는 것을 알 수 있다. 현대의학에서는 이러한 견해나 사고방식이 본질적으로 존재하지 않는다. 즉 비과학적으로 무시해버리는 경향이 있음을 현대인들은 잘 알고 있는 실정이다. 여하튼 수태과정에 있어 종교면에서는 그렇게 보고 있다면 더이상 왈가왈부할 필요가 없는 것이다.

• 모태 내 각 주마다의 경과

제1주—남녀의 정자와 난자가 서로 결합되어 액상질(液狀質) 상태로 있는 기간.

제2주—결합된 형체가 가늘고 긴 형상이 형성되는 과정에 들

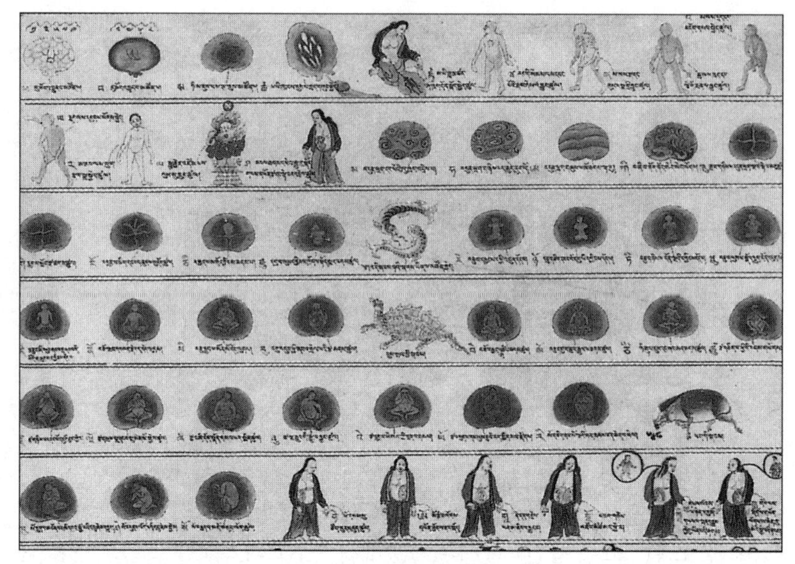

수태 경과(《규씨이》 탕카 제5 그림)

어간다. 수면이 바람으로 찰랑거리며 파문을 일으키는 상태를 표현한다.

제3주—마치 요구르트(음료) 같은 상태로 변화된다.

제4주—원형상(圓形狀)으로 변한다.

이상과 같은데, 3주까지는 태아가 남자인지 여자인지의 확인이 어렵다. 그러나 티베트의학에서는(《규씨이》 의서) 태아 성별의 기본을 다음의 세가지로 집약하고 있다.

(1)레(因緣)

(2)여성의 생리가 시작해서 끝나면 그 다음 월경이 끝난 날로부터 12일째 기수가 되는 날에 수정을 하게 되면 남자아이가 태어난다고 한다. 만일 12일째 날짜에 가서 관계를 하게 되면 여자아이가 탄생하게 된다고 전해지고 있다.

(3)또 남녀 부부간에 있어서의 호르몬 분비량 여하에도 좌우된다고 한다. (2)에서 언급한 바 기수일에 분비한 여성의 분비량이 많으면 여아가 되고, 남성쪽의 분비량이 많을 경우는 남아가 생산된다고 한다.

수태 후 4주일이 되면 서서히 남녀의 성별을 판단하게 된다. 4주간의 원형상태에서 화염상 같은 것이 보이기 시작되면 여아이고, 화염상의 줄이 만일 안보이면서 둥글고 작은 것이 보인다면 남아라고 판단되는 것이다. 그러나 이것도 아니고 저것도 아니고 그냥 가늘고 긴 형태만 보이게 된다면 그것은 남자도 여자도 아닌 반음양적인 태아로 보게 되는 것이다.

다른 유형도 많이 있다. 남성에 가까운 여성, 여성에 가까운 남성 태아 등으로 분류된다. 그러나 특수한 경우가 가끔 있으니 그것은 매월 초하루부터 15일 사이에 남아였던 아이가 갑자기 여자로 변할 때가 생기며, 월중 16일부터 30일 사이에 여아적인 것이 남아로 변하는 경우도 간혹 있다는 것이다.

제5주—자궁 내에서 제일 먼저 만들어지는 배꼽이 완성된다.

제6주—색상(索狀)기관이 완성되며 동시에 생명의 쓰아가 완성된다. 모태와 태아간에 쓰아를 통해 완전교류되면서 성장하게 되는 것이다.

제7주—눈의 원형이 생긴다. 이것은 진짜 눈이 아니고 태중에서 만들어진 임시적인 눈이다.

제8주—태아의 머리가 전체적으로 생긴다.

제9주—후두부(喉頭部)로부터 두상 상층이 만들어진다. 이상과 같은 9주까지를 어기(魚期)라고 한다. 이것은 태아의 사지

(四肢)가 만들어지지 않은 미완숙 상태에서 몸만 있는 것을 고기로 비유한 것이다. 도구다 다무뗀은 어기(魚期)니 구기(龜期)니 돈기(豚期) 등의 설명은 의사에 따라서 견해가 다르다고 부언한다. 《규씨이》 의서에서는 이 부분에 대해 일체 언급이 없다. 그러나 탕카 의학도에는 분명히 어(魚), 구(龜), 돈(豚) 등의 모양이 그림으로 그려져 있으나 해석은 일정치 않다.

제10주－양 어깨로부터 신체 중앙부에서 양 다리가 형성된다.

제11주－두 눈과 두 귀, 구강(口腔)과 치아(齒牙), 설(舌) 등 코의 원형과 항문(肛門), 요도 등 원초의 것 등 아홉개의 구멍이 출현한다.

제12주－심장, 비장, 좌우의 신장, 폐 등 다섯 개의 장기(臟器)가 생긴다.

제13주－위, 소장, 대장, 담장, 방광 등이 생긴다.

제14주－팔, 다리 등의 기본적인 부분이 생기는데, 발가락이나 손가락 등은 미완성이다.

제15주－발가락과 손가락이 생긴다.

제16주－손, 발톱이 생긴다.

제17주－이때부터는 피부면에 나타나는 면과 심장에서 오장육부로 주행하는 쓰아 내부가 형성되어진다. 이 단계에서는 때고끼 룽의 기능이 작용한다. 여기서 안과 밖의 흐르는 쓰아는 각 기관에 작용하게 된다. 간(肝), 위(胃), 비(脾) 등으로 또 혈액 본래의 기능도 활발해지기 시작한다. 여기까지의 과정을 구기(龜期)라고 한다. 이것은 외부에 흐르는 쓰아가 거북이의 겉모양과 비슷한 데서 나온 말이며, 팔다리 네개와 두부(頭部)가

15주에서부터 형태가 완성되기 때문에 구(龜)의 형태로 설명하고 있는 것이다.

제18주－모태로부터의 영향을 가장 많이 받는 때로, 태아의 생명은 활동하기 시작한다. 스루기룽의 작용이 주축이 된다. 특히 모태의 식사에 의한 영양섭취 등이 태아에게 큰 영향을 준다. 짜고 매운 것, 특히 찬 것 등은 태아에게 좋지 않은 영향을 주기 때문에 주의를 요한다.

제19주와 20주에는 별개의 생명룽이 주축이 된다. 근육이나 건(腱)이 형성된다. 즉 주로 태아의 골격 형성의 강화와 골수 등이 충실해진다. 관절, 두개, 어깨뼈, 늑골 등이 본격적으로 형성되기 시작한다.

제21주－생성유지되는 에너지의 룽이 주성분이 된다. 체질의 완성, 그리고 각종 쓰아(搏動), 혈관계나 뇌하수계는 완성상태로 들어간다. 즉 내피계의 완성으로 보는 것이다.

제22주－21주의 작용과 흡사하다. 별개의 룽이 작용하는데, 곧 생명을 강화시키는 주체의 룽이다. 제11주 때에 언급한 미완성이었던 아홉 개의 구멍이 완성되니, 즉 양쪽 눈과 귀, 구강과 혀(舌), 그리고 코, 항문, 요도 등이 명확해진다.

제23주－태아의 모공으로부터 두발 등, 몸에 털이 생기고 손톱, 발톱 등이 굳어지기 시작한다. 만일 모태에 무엇인가의 질환이 발생하면 그것이 민감하게 태아에게도 영향을 주는 시기이다.

제24~25주에 가서는 운동활성화의 룽이 주체가 된다. 모태의 음식 섭취, 음주, 흡연 등 일체가 태아에게 직접적인 영향을 주는 중요한 시기이다. 태아의 신체를 형성, 좌우하는 시기로 볼 수 있다. 그러므로 모태의 절제있는 생활이 요구된다. 특히 주의해야 할 점은 태아의 감각기관이나 호흡기관 등에 나쁜 영향을 줄 수 있는 모태의 자세이다. 과로한 육체적 운동을 각별히 피해야 하는 시기이다.

제26주—정신활동에 기능을 주는 룽이 생겨서 본격적으로 태아의 정신형성의 활동이 보이기 시작한다. 이 전주(前週)까지는 잠자는 것같이 조용하던 기능이 움직이기 시작해서 인식반응이 뚜렷해진다. 그래서 태교의 의의(意義)가 있게 되는 것이다.

제27주부터 30주까지는 점차로 태아의 육신이 정신면이나 육체가 성숙되어가는 시기에 들어오게 된다. 이때의 룽은 별개의 활동을 전개하게 된다. 태내에서 일어나는 오물 같은 것을 맛보는 현상도 보이는데, 특히 주의해야 할 것은 만일 모태가 수면부족이나 과로, 그리고 소화되지 않는 식품 등을 잘못 섭취하게 되면 그 영향을 받은 태아가 자궁 밖으로 빠져나가 유산될 가능성이 있다.

제31주~35주까지는 태아의 성장도 점차 커지면서 발달되어 가며 모태와의 관계도 확실해지기 시작한다. 어떠한 의미에서는 모자관계가 이상하게 대립적 관계로 태아의 건강상태가 너무 좋아도 탈을 일으켜서 모태의 건강이 안 좋아지는 경우가 생기기 때문이다. 그 반대 현상도 가끔 일어난다. 이러한 35주를 돈기(豚期)라고 하는데 이것은 아이가 생기는 과정이 네발이나 발톱, 손톱 등이 마치 돼지 모양으로 변해가기 때문이다.

제36주에서는 태아가 모태로부터 밖으로 나가야 하는 움직임을 처음으로 보이기 시작한다. 임신 초기에 정신(精神)이 모태를 택해서 들어왔지만 들어오기까지의 어려움이 있었음을 여기 와서 태아 자신이 느낀다는 것이다. 여기서 사성제의 고제가 시작된다. 즉 모체(母體) 밖으로 나가야 하는 기능적 움직임과 거기에 따르는 고통이 발생한다고 보는 것이다.

제37주에 가서는 태아가 남자아이의 경우는 모체인 여성에 어떠한 애정감각을 가지게 되며, 반대로 태아가 여자인 경우에는 모체를 싫어하는 경향에서 아버지쪽으로 호감을 가지고 나온다는 해석도 있으나 다무진 박사는 여기에 관해 언급하기를 《규씨이》의 원서에는 그러한 말이 전혀 없는데 티베트인 자신들의 민속사회에서 일어나는 근거 불명의 이야기라고 한다. 역시 태아가 대립적 감정을 품는다는 설도 없지 않으나 부정도 긍정도 피하고 싶다고 한다.

이러한 과정을 거쳐 38주 만에 가서는 결국 태아분만이라는 준비가 시작된다는 것이다. 태아의 육성과정에서 주마다 새로운 세력의 룽이 작용되는 것이다. 그것은 특수한 룽이어서 특히 레(緣)하고 연결되는 룽이라고 보는 것이 정확할 것이다.

룽이라는 것의 표현은 즉 인체의 에너지를 가리키는 것이다. 즉 치이바와 빼겐을 포함시킨 룽인 것이다. 점차적으로 태아에게는 이러한 에너지가 형성되어서 인체 전반에 파급, 그리고 형성되어 비로소 완전한 사람으로서의 아이가 만들어지는 것이다.

그러나 삼독인 탐·진·치 등의 안좋은 마음이 존재하면 룽의 작용도 또 다르게 변한다 하니 조심하여야 된다. 차량 타이어에 공기가 들어있으나 눈으로 보지 못하는 것처럼 룽도 그와 같은 것이라고 이해해주기 바란다. 룽이란 인체의 원기라고도 볼 수

뉴델리 티베트 메디켈센터 소장 도구다 다무띤

있는 것이다.

제38주는 마지막으로 태아가 출산을 하게 되는 것이다.

태내에 있어서의 자세가 문제인데 분만하기 전에 산부인과 의사가 최선을 기울어서 자궁 안에서 정위치에서 정상적으로 안락하게 분만할 수 있는 바 최선의 노력을 기울이게 되는 것이다. 태아의 교정이라는 말이 여기서 나오게 되는 것이다.

이상 38주까지의 설명은 저자 자신이 다무딘 박사와 의성인 텐진 조다구 박사에게 《규씨이》 의서에 입각한 질문에서, 그리고 저자의 의견도 다소 같이 포함시켜 여기에 소개하는 바이다.

제 7 장

여의사 따와 조댄 여사의 임상(臨床)

1. 외래환자의 대응

메디컬센터에 상주하는 티베트 여의사 중의 한사람이 따와 조댄 여사이다. 그녀는 주로 외래환자를 진단하고 투약하는 중심인물로 33세의 젊은 여성이다. 필자는 1995년 5월, 그녀로부터 임상 실태를 직접 관찰해도 좋다는 승낙을 받고 나흘 간 그녀의 병원에서 머문 일이 있다.

그 당시 진료하는 과정에서 그녀와 상호문답한 내용을 여기에 소개하고자 한다. 새로운 외래환자를 보는 데 있어서 복병(腹病)을 고하며 찾아온 환자를 다루는 경우이다.

우선 문진(問診)인데 처음부터 쓰아(診脈)를 보지 않는다. 진맥을 보기 전에 가정생활을 영위하는 여러 가지를 가지고 이것저것에 관해 질문을 한 다음, 2~3일 전부터 식사한 내용을 묻는다. 설진(舌診)을 보고 나서 요검사를 한 뒤, 진맥을 보는 것이 그녀의 진찰 순서이다. 진맥을 통해서 자연히 룽, 치이바, 빼겐 이 세가지를 보게 된다.

그리하여 병인, 즉 병의 근원을 잡아내는 것이다. 세가지의 상

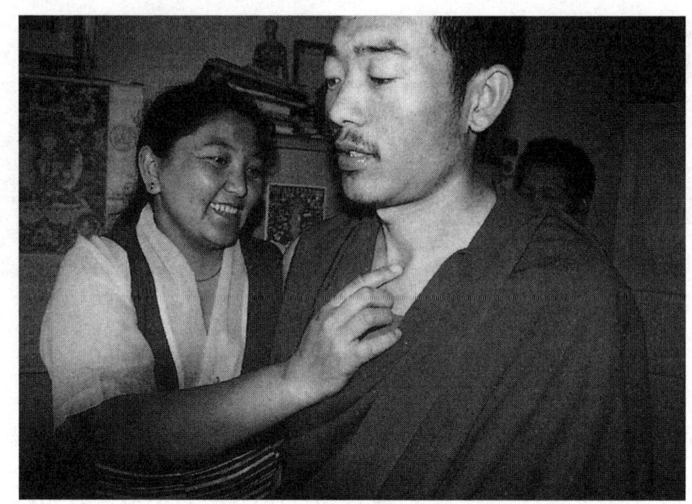

도구다 따와 조댄 여사의 진찰 모습

관관계를 보아서 투약한다. 세가지 중 어느 쪽이 더 강하고 어느 쪽이 더 약하냐에 따라서 급성이냐 만성이냐 등의 진단을 내리는 것이다. 여기서 그녀의 진찰법은 쓰아 진맥으로 본 것과 문진하는 환자와의 대화에서 일치점을 찾아낸다. 요검사도 중요시하고 있었다.

조다구 박사는 다르다. 같은 티베트 의사인데, 박사는 요검사는 인정하지 않는 듯 이것을 생략하고 진맥 일변도로 환자를 보는 것이 특징이다. 티베트의학에서 시도하는 요검사법으로는 명백한 병세를 잡아낼 수 없다고 박사는 실토하고 있다. 그것에 대한 설명은 다음과 같다.

현재 티베트 본토는 옛날부터 내려오는 고유한 티베트인의 식생활이 아니며, 또 인도쪽으로 망명한 티베트인들도 고유한 전통 식생활을 못하고 인도식 생활을 하고 있어서 결국 맞지 않는다는 것이 박사의 주장이다. 그러한 대소변 배설물을 가지고 병리검사를 하더라도 제대로 병인을 찾아낸다는 것은 쉽지 않다는 이야기다. 그래서 근거가 되는 것은 쓰아(진맥)법밖에는 믿을 수 없다는 논리이다.

그러나 따와 조댄 의사는 보조검사로 요검사의 필요성과 가치가 있음을 주장하였다. 여기 메디컬센터에 있는 다른 여의사들도 같은 주장을 하고 있어서 박사와 같이 티베트 고유의 쓰아만이 최고라는 자신이 없는 것 같았다. 또 같은 복병 증세 환자인데 눈을 검사하는 것을 보았다. 그것은 소화기계로서 황달 같은 질환은 역시 환자의 눈을 검진해야 되기 때문에 검안을 한다고 했다.

투약도 4일분부터 1주일분까지 끊어서 투약하는 것이 보통이다. 그것은 다음에 왔을 때 첫번째 처방을 다시 확인하기 위한 성의있고도 세밀하게 환자의 병세를 다루는 방법이었다.(5분 내에 새 환자들을 초진하고 경솔하게 속단하여 하루에 백여명을 검사하는 한국의 대형 병원과는 근본 바탕이 다르다.)

여기서 더 인상 깊은 것은 따와 조댄 의사가 높은 명성과 권위가 있음에도 초진을 하는데 결코 혼자서 쓰아를 보고 진단하지 않는다는 것이다. 반드시 두 의사가 한 환자를 교대로 진맥을 보고 나서 서로의 의견을 교환하고 두 진단 결과를 가지고 결론을 내리는 것이다.

환자가 현재 거주하고 있는 지역환경(예를 들면, 도시인지 시골인지)이나 그 환자의 직업 등을 중점적으로 질문하여 그 대답들도 투약하는 데 다소 참작한다고 의사는 말하였다. 너무나 친절하며 완벽한 진찰을 하는 것 같아서 느끼는 바가 많았다.

결핵환자를 다루는 것을 보았는데 특히 가족관계에 초점을 맞춰 문진하였다. 요검사는 아침 식전의 소변을 가지고 검사하는 것이 상례이지만, 여기서는 그것을 따지거나 요구하지 않고 초진시에 별실에서 즉시 요를 받아서 검사하는 것도 보았다. 극히 자연스럽게 진찰하고 병리검사를 하는데, 소변검사에서는 수포의 대소와 소변색을 중요시하고 있었다.

요검사에 관해서 따와 조댄 의사가 말하기를, 거의 초진 외래 환자의 경우 처음 요검사로서 질환의 증세에 대해 판단을 내린다고 실토한다. 역시 조다구 박사와는 견해가 다르다는 것을 다시 한 번 피력한다.

즉 치이바계의 질환이나 계마의 병세는 요로써 알아본다고 한다. 룽, 치이바, 빼겐의 세가지는 크게 나누어서 열성 질환과 냉성 질환으로 분류한다. 열성계는 요검사를 해보면 색깔은 적색이며, 수포는 금방 없어진다.

그와 반대로 냉성계의 색깔은 보통 물과 같아서 식별하기가 다소 힘들다. 그리고 수포는 쉽게 없어지지 않는 것이 특징이다. 거기다 백색의 찌꺼기가 가라앉는 것이 보인다. 나무젓가락으로 오줌 거품을 저어서 작은 거품만이 남는 경우는 천식계 질환이 있는 사람이다.

현대의학에서 분류하고 있는 기관지염, 심장계, 요독, 기타 신경계 등의 구분은 전통적 요검사만 가지고는 완전히 알아내는 것이 무리한 요구이나, 티베트의학에 숙련된 의사라면 쓰아(진맥)를 통해 룽, 치이바, 빼겐의 맥박만 가지고도 능히 진단을 내리고 시술 방침을 세울 수 있다.

다음은 설진이다. 소위 혓바닥 상태를 가지고 티베트의학에서는 임상적으로 진맥을 하고 있는가에 대해서 따와 조댄 의사의 진료소를 방문하고 몇가지를 직접 문의해 보았다. 첫째, 혀의 색깔과 표면 상태(표면이 우툴거리는지 매끄러운지) 등을 보는 것이다. 빈혈인 경우는 혀가 흰색으로 나타난다. 이럴 때 안구(眼球)를 주의깊게 관찰해보면 역시 흰색을 띠고 있음이 발견된다.

특히 설근(舌根)부가 황색을 띠고 표면상이 거칠게 보일 때는 황달로 짐작, 주의를 요한다. 치이바에 이상이 있어도 백색의 혀가 황색으로 변하는 수가 있다. 빼겐에 병인이 있을 때는 혀가 하얗고 표면은 다소 매끈하고 부드러우나 건조된 상태는 아니다. 룽에 이상이 있을 때는 보통 때보다도 적색을 띠면서 혀의 표면이 다소 우툴하고 거칠게 보인다. 그래서 보통 건강한 사람과 빼겐적 질환자의 혀의 구분은 비교적 용이하게 식별이 가능하다.

특히 혀의 표면에 상처 같은 것이 생겨서 거칠게 보이는 혀는 열성의 심장병 질환으로 보는 것이다. 혀의 아후다성 질환에는 바르지 않고 내복약으로서 처방이 가능하다. 가령 탕첸을 아침에 3정, 점심 13정, Nila 5개를 밤에 복용한다. 기타의 방법으로 혀에 벌꿀을 약간씩 바르는 것을 권하기도 한다.

혀 중앙에 여드름 같은 것이 생기면 이것을 티베트의학에서는 '마민쓰아아'라고 칭한다. 마민이란 과실이 아직 여물지 않은 미숙한 생태를 말한다. 이러한 증세가 나타나면 몸에 열성적 질환이 있음을 보이는 것이니 검진할 필요가 있게 되는 것이다.

빈혈이 있는 사람을 보면 대개 손톱 색깔이 백색을 띠고 있다. 동시에 눈검사를 해보면 안구가 돌면서 손톱색이 흑색을 띠고 있는 경우에는 치이바 증세로서 치유될 가능성이 희박하다. 그리고 혀의 중심부가 특히 흑색을 띠고 있다면 일단 심장병으로 보아야 한다.

머리카락이 빠지는 탈모 현상이 나타날 경우, 이것은 골성(骨性)에 관련된 질환이라고 의서 《규씨이》에 기재되어 있다. 여기에 소개한 이상의 내용이 진료실에서 임상을 견학하면서 따와조댄 의사가 무엇에 근거를 두고서 진료하고 있는가를 메모한 것이다.

결론적으로 룽, 치이바, 빼겐 이 세가지 질환을 임상적으로 어떻게 다루고 있는가 하는 면을 실제적으로 정리해 보았다.

• 룽 질환의 구체적인 예

① 진한 홍차를 과다하게 마시는 경우
② 돼지고기를 많이 섭취하는 경우
③ 과도한 성생활
④ 시간적으로 불규칙적인 식생활
⑤ 수면부족이 장기화되는 경우
⑥ 식사를 제한한 채로 과다한 노동을 하는 경우
⑦ 여성의 경우 생리시 과잉출혈
⑧ 극도의 설사와 구토
⑨ 습관성 코피
⑩ 정서적 불안정과 과다한 마음의 피로

⑪ 과도한 담소에서 오는 병세
⑫ 장기의 변비나 배설 시기를 놓치면서 참는 버릇
⑬ 비관적인 통곡을 계속할 때

- 치이바 질환의 구체적인 예

① 지방분의 과다 섭취
② 향신료 등, 자극성 음식을 과다 섭취
③ 신 것(초)을 과다 섭취
④ 화를 쉽게 내는 생활태도
⑤ 태면(怠眠)이라 불리우는 주간에 상습적으로 과다한 수면을 취하는 경우
⑥ 빛이 강할 때에 행하는 밖에서의 노동
⑦ 중량이 나가는 물건을 강제로 무리하며 운반하는 경우
⑧ 장거리 주행(마라톤)
⑨ 높은 곳이나 말에서 떨어지는 경우
⑩ 물에 빠졌을 때
⑪ 외부로부터 물리적인 충격을 받은 경우
⑫ 육류의 과다 섭취
⑬ 버터의 과다 섭취
⑭ 흑설탕의 과잉 섭취
⑮ 지나친 음주

- 빼겐 질환의 구체적인 예

① 감미로운 맛, 단것을 많이 과하게 취한다.

② 쓴것을 과잉 섭취한 경우
③ 기름기 있는 식품의 과잉 섭취
④ 소화가 잘 안되는 음식을 과잉 섭취
⑤ 운동이 부족한 경우
⑥ 점심식사 후 장시간 휴식을 취하는 버릇
⑦ 습기가 많은 장소에서 수면을 취할 경우
⑧ 몸의 온도가 낮을 경우
⑨ 생곡식이나 설익은 과일 섭취
⑩ 영양이 불충분한 식사를 하는 경우
⑪ 지나치게 볶거나 끓인 것을 섭취하는 경우
⑫ 오래된 식품을 섭취한 경우
⑬ 염소의 생젖을 먹었을 때
⑭ 요구르트의 과잉 섭취
⑮ 찬음식을 먹는 경우
⑯ 불규칙한 식생활
⑰ 티베트 차를 과잉 섭취한 경우

상술한 항목이 여러 가지 겹쳤을 경우 발병이 오게 마련이다. 중요한 것은 룽, 치이바, 빼겐 등을 진단하는 능력이 없는 의사가 조제한 것을 투약하는 경우 역효과를 초래할 수가 있다. 현대의학을 전공한 의사라 하더라도 룽, 치이바, 빼겐 등을 진단하지 못하는 의사가 쓰아(진맥)만 가지고 정확한 진찰을 하리라 기대하기는 힘들다. 최소한 6~7년 정도 별도로 티베트의학의 기초적 연수를 하고 난 뒤에야 가능할 수 있다. 다음은 상술한 세 가지 기본에 관해서 병인론적 입장에서 정리해 보고자 한다. 이것은 따와 조댄 의사가 강술한 내용이다.

① 발병 전후의 시기(계절)

② '조바'라고 하는 개념은 여러 가지다. 타인으로부터 욕설이나 비판을 자주 받는 환경요소와 나쁜 선천적 인자인데, 가끔 악마라고도 본다.

③ 독성 식품(생선이나 육류로부터)

④ 의사의 오진과 잘못된 투약

⑤ 전생으로부터의 업력(業力 : 카르마)

⑥ 전날 식사한 것이 2, 3일 후에 가서 발병되는 경우, 여름철에는 좋았다가 가을에 가서 발병한다든가 겨울에 가서 자연적으로 치료된다든가 하는 경우

• 룽의 기능

룽은 광범위한 뜻을 내포하고 있다. 신체가 움직이는 모든 것은 룽이라고 하는 세력권 안에 있는 것이다. 가령 눈동자의 움직임이나 호흡작용, 물체를 잡거나 들어올리는 힘, 시력, 청각, 코의 후각, 혀의 미각, 구강 내의 활동 등도 룽의 힘이다. 여기서 룽을 다섯가지로 분류해본다.

(1) 소구진 룽(생명을 움직이며 지배하는 룽으로서 두뇌에 있다)은 인후부에도 있어 식사를 취하게 하는 기능도 있고 음식을 조작(씹어서 삼키는 기능)하는 작용도 한다.

식사한 음식물이 소화기관으로 운반하는 것도 소구진 룽의 작용이다. 호흡이나 장내의 가스 발생도 소구진 룽이 한다. 입속에서

뱉는 것, 감정과 감각의 작용, 기타 기억 작용도 소구진 룽이 한다.

계절에 따라서 룽이 과도하게 넘치는 경향이 있다. 봄이 끝날 무렵부터 초여름의 짧은 기간을 소카라고 한다. 이로 인하여 체중에 가감적 변화를 가져올 수도 있다. 여름에 발생한 것이 가을에 들어서 자연적으로 치유가 되는 경우도 있으며, 그러나 역으로 가을에 들어서 발병된 것은 역시 투약으로 고쳐야 된다.

이러한 소카라는 계절에는 자연계에도 식품이 잘 성숙된 것이 없어서 그것이 문제이다. 룽에도 곧 영향을 주기 때문에 룽의 과잉현상이 일어난다. 이러한 소카 계절은 환절기여서 따뜻한 시기이지만 룽은 냉한 편이어서 역으로 질병을 유도할 수도 있다. 룽은 여러 질병을 일으키는 것은 아닌데 여름 장마철에 들어서 냉해지기 때문에 룽도 냉해지기 때문에 질병을 유발시킨다고 보는 것이다.

하루 24시간을 통해 룽의 존재는 아침부터 저녁까지 냉하기 쉬운 조건하에 놓이게 된다. 그러나 여름철에 있어서의 룽의 질병은 가을에 들어서면 자연적으로 치유될 경우가 일반적으로 많다. 가을에 발병된 질환은 겨울 한랭기에 들어가기 전에 치유되는 것이 상례이다. 기타 룽에 관해서 분류적으로 열거해 보기로 한다.

(2) 갱끼유 룽이란 흉부(胸部)에 있다. 소구진은 두정(頭頂)에 있었으나 이것은 흉부에 있는 것이다. 흉부에 있으면서 코, 혀, 후두 등의 각 분야로 퍼진다. 말을 하는 작용도 갱끼유 룽이 하는 것이고 신체를 강화시키는 작용도, 기억력도 이 룽의 작용인 것이다.

(3) 카뿌치에 룽 : 카뿌치에란 퍼진다는 뜻이다. 이것은 사람

의 심장부에 자리하고 있다. 이것도 인체의 전체 분야로 퍼져나가 입을 열고 닫는 것, 즉 음식을 씹는 작용으로부터 팔다리 활동 등도 카뿌치에 룽이 하는 것이다.

(4) 매니얍 룽 : 위의 소화, 분해로부터 장관내(腸管內)의 소화 흡수 작용을 시키는 힘.

(5) 도우세루 룽 : 대소변 등의 배설과 태아의 분만을 돕는 힘 즉 에너지이며, 대장에 음식을 보내는 작용, 남성이 정액 호르몬을 만들어서 사정하는 작용, 여성의 생리현상이나 항문의 개폐운동을 한다. 예를 들면 대소변이 잘 안나오는 이유는 도우세루 룽이 활동을 못해서 일어나는 것이다. 방귀 끼는 것도 이 룽이 시킨다. 태아가 나오는 예정일인데 순산이 늦어지는 것도 도우세루 룽이 부족해서 일어나는 현상으로 보는 것이다.

• 치이바의 기능

치이바가 작용하는 기능은 식욕, 호흡, 공복, 입속의 갈증, 체온 조절, 의욕이나 근성, 두뇌 활동, 시비 등 분별심이 치이바의 분야이다.

역시 치이바의 기능도 다소 계절을 탄다. 여름철에는 치이바가 과잉 상태로 증가한다. 겨울에 들어서면서 병이 자연 치유되기도 한다. 여름에 치이바가 과하여 외기온이 높아지면서 치이바의 열성(熱性)이 상승해서 열성 상태가 발생되는 것이다.

(1) 치이바의 주체 : 이것은 음식을 소화와 분해시키는 힘이다. 즉 소화가 되고 안됨을 인식하면서 소화시키는 기능역할을 한다. 환경에 대응해서 사람 인체의 체온을 조절하는 작용도 한다.

여러모로 영향을 미치는 기능을 가지고 있다

(2) 치이바 당규루 : 간과 담에서 자리잡는다. 영양소와 노폐물 등을 식별해 영양소만 흡수하여 단마로 보낸다. 단마는 재생기능의 액상질로 조혈(造血), 지방, 골수(骨髓), 골질(骨質), 영양소 등을 만드는 과정을 뜻한다. 특히 적혈구 등에도 에너지를 공급한다. 여기 치이바 당구류의 기능은 동시에 룽과 빼겐도 작용하기도 한다.

(3) 치이바 또유뿌제 : 이것은 심장에 있다. 사람이 일하는 기력과 의욕 등에 작용한다.

(4) 치이바 돈제 : 사물을 보는 시각에 근본 에너지이다. (돈이란 본다는 말이다.)

(5) 치이바 도구세루 : 인체의 피부에 기능한다. 즉 피부의 색을 표현하는 힘이다.

• 빼겐의 기능

이것은 인체의 관절기능, 기억작용, 수면, 피지(皮脂)와 피부의 활성도에 작용한다.

(1) 빼겐 진제 : 이것은 흉부에 있다. 다음의 (2) (3) (4) (5) 하고 같이 합해져서 찌애를 주체적으로 조절하면서 체내에서의 분비물을 조화, 균형 잡는 역할을 한다.

(2) 빼겐 냐구제 : 음식물 중에 소화되기 어려운 것을 혼합시켜 소화작용을 촉진시킨다.

(3) 빼겐 니욘제 : 니욘이라는 것은 경험한다는 의미이다. 이것은 혀에 있다. 이것은 미각을 조절한다.

(4) 빼겐 진무제 : 이것은 뇌에 있다. 정서감, 만족, 불만족 등 오감의 움직임을 조절한다.

(5) 빼겐 죠루제 : 죠루란 연결한다는 뜻이다. 신체 각부의 관절운동을 지배한다.

이상 룽, 치이바, 빼겐 등 세 기능의 특징을 요약한다면 20가지의 요소를 가진다.

(1) 룽=가볍고 껄껄하며 약간 냉하다. 미세하며 딱딱한 운동하고 있다. 이것은 6가지 요소로 구성

(2) 치이바=이것은 기름기가 있으며 예리하면서도 약간의 열기가 있다. 가벼우면서도 악취가 있어 설사기능을 가지고 있고 습기를 가진 7가지 요소로 구성

(3) 빼겐=기름기가 있으며 훈훈하면서 중량이 있다. 둔하고 무게가 나가며 표피의 매끄러운 맛이 없고 운동성도 없으며 접착성의 7가지 요소로 구성

룽이 소카 시기(늦봄에서 초여름)에 들어서 과한 상태로 여름에 가서는 발병되기 쉽다는 언급은 이미 한 바가 있다. 이것은 일반론이지 꼭 그렇다는 원칙론은 아니다. 언급한바 소카의 계절이 끝날 무렵에 가서 과잉된 룽 때문에 룽 계통의 질병이 많이 발생하게 된다.

그것은 계절변화에서 식사내용의 변화가 있으면 여름에 들어가기 전에 이미 질병이 발생하기도 한다. 또 오진 때문에 발생하는 질병도 있다. 불규칙한 식생활 때문에 과식상태가 계속된다든가 수시로 진한 차(茶)를 습관적으로 마신다든지 하면 룽계

의 병이 발생한다. 또 의복에 뿌리는 나프탈렌의 냄새가 강하게 풍길 경우에도 그러한 강한 냄새가 의복을 통해 인체에 룽 계통의 질환을 일으키는 경우도 왕왕 있다. 이것은 외부로부터의 자극에 약한 탓이기도 하다. 이러한 경우 특별히 내복약을 먹지 않아도 수프나 가벼운 음주, 맥주 등의 섭취만으로도 병상이 사라지는 경우가 있다.

룽, 치이바, 빼겐 등은 개인별로 다른 고유한 상태가 있을 수도 있으나 연령으로 본다면 특히 유아는 빼겐계의 병이 발생하기 쉽다. 물론 빼겐 이외의 병에도 감염될 수도 있다. 성인이 되면 치이바계의 질환이 많이 생긴다. 고령자에게는 룽계의 질병들이 발생하는데 특이한 것은 노인들 룽계의 질병은 치유하기가 힘들다고 보는 것이다.

그러나 노인이라도 개체에 룽이 많은 사람으로서 치이바계의 질병에 걸려도 비교적 쉽게 치유될 수도 있다.

룽계의 질환은 42종이 있다. 치이바계통은 질환이 26종이나 되고 빼겐계는 33종이나 된다. 전부 합하여 기본적으로 101종이 되나 서로 관련되는 병까지 합한다면 이런저런 자질구레한 질병까지 합하면 수백가지의 병군을 들 수 있다.

옛날부터 불가나 티베트사회(민간)에서 내려오는 수는 보통 404병이라 부른다. (한국 불교계에서도 스님들이 병기원할 때 404병 영영소멸 운운하며 축원한다)

• 룽의 경우

모네룽 쓰아뿌라고 하는데 이것은 여성의 질환으로서 생리불순이나 무월경 등을 포함한다. 또 이것을 대별하면 6가지 종류가 있는데 모두가 여성 특유의 질환이다.

(1) 두정(頭頂)룽 쓰압뿌는 두통이다.

(2) 루배룽 쓰압뿌는 골질부(骨質部) 통증이다.

(3) 니인룽 쓰압뿌 : 이 상태는 이유없이 일어나는 노(怒)하는 상태로 인해 심장부에 강하게 고통을 느끼는 병이다.

(4) 개마룽 쓰압뿌 : 이것은 콩팥에 통증을 호소한다. 허리 아랫부분에 통증을 느끼며 두 다리의 운동이 저하되면서 생리불순이면서도 분비물이 다량으로 나온다.

(5) 뽀와룽 쓰압뿌 : 이것은 위부에 가스가 많이 생겨서 가끔 통증을 가져오는 상태이며 소화불량이 계속된다. 습관적인 찬 식사로 증세가 악화된다. (4)번에서도 비슷하게 차져서 일어나는 병환이다. 신체 하부가 냉해지는데 이것은 룽이 냉해지기 때문이다.

(6) 꾸마룽 쓰압뿌 : 이것은 여성의 생리불순, 즉 예정일과는 관계없이 생리가 돌발적으로 시작된다든가 또는 장내에 가스가 많이 찬다든가 동시에 돌발적으로 통증이 오는 경우이다.

이상의 6가지는 여성 특유의 병명으로서 모네룽 쓰압뿌의 개별적인 분류인 것이다.

속구룽은 스트레스 전반을 일컫는 병명이다.

니인룽은 심장질환이다. 이를테면 결체(結滯), 즉 맥박이 불규칙하게 되고 박동이 탈락하는 등, 또한 추운 계절에 몸 전체가 추위로 오한이 드는 등은 니인룽이다. 그러나 이 같은 상태로 현기증이 생기고 고열이 나는 오한전률(惡寒戰慄) 따위는 니인

룽이 아니기 때문에 감별할 필요가 있다. 또한 두뇌에 이상이 있어서 몸이 떠는 증세를 수반하는 것도 니인룽은 아니다. 따라서 간질은 니인룽의 범위에 들어가지 않는다.

- 치이바의 경우

(1) 규우쎄=장에 격통을 느낀다. 출혈성 설사를 일컫는다.
(2) 치이바 두우=담석 따위
(3) 치이바 믹세=황달. 현대의학으로 말하자면 빌티루빈(담즙 색소)이 이상하게 증가하여 피부와 점막조직이 노랗게 되는 증상
(4) 턴데크=황달. 앞에 적은 것보다 더 중한 증세의 병명

- 빼겐의 경우

(1) 빼겐 무크포와=위궤양을 포함하는 위 점막의 질환
(2) 우크사=천식으로 다른 질환을 병발하고 있는 예가 많으므로 이밖의 병명도 많다.
(3) 포투우=식도 같은 데에 폴립이 있는 경우로, 음식물을 섭취하기가 어려운 경우로서 외부에서 뜸을 떠서 제거하는 방법이 있다.
(4) 빼겐 캬팝프=발이 붓거나 눈이 붓는 수가 있는데 이때 물이 괴지 않는 증세. 모로 누워 있으면 물이 괴는 수도 있다.

그밖에 관절염도 많은 증상인데 이것 역시 빼겐이 주체이다.

2. 약물편 : 대표적 식물 이름

다음은 티베트의학에서 사용하는 주약제 이름과 사용에 관해서 중요한 약재만을 소개한다.

• **빠샤카** : 이 약제는 주로 여성의 생리불순에 사용하는 것인데, 대뉴쿠라는 약과 같이 조제하여 사용한다. 주성분은 빠샤카라는 약초로 망명정부가 있는 다람살라 부근에 있는 테란포트에서도 채취가 가능하다. 채취시기는 3월경이 적절하다. 약제로는 꽃과 잎만을 사용하며 뿌리는 사용하지 않는다. 잎은 썰어서 그늘에서 말려야 효과가 있다.

• **유균** : 제조된 환약이름이다. 효험은 자궁병 일반에 투여된다. 젊은 체질에는 2정, 강한 체질의 소유자는 매일 3정이 좋다.

• **빼마켓새슈** : 이것은 약재의 이름이다. 특효는 간장, 심장, 각종 열성 질환, 특히 폐병환에 잘 듣는다. 비교적 크게 자라는 나무인데 이것도 다람살라 부근에서 채취가 가능하며 3월 초순에 꽃을 딴다.

린첸 유닌25에 함유되어 있다. 이 약에는 빼마켓새슈 외에 우페르라든가 빠샤카 따위 식물 원료도 들어 있다. 간장질환 중에서 열이 있는 증상에 투여한다.

손징11에 함유되어 있다. 룽 계통의 질환 중, 열이 있는 경우에는 쓰지 않는다. 아침과 취침 전에 한 알씩 쓴다.

아갈8, 아갈20에도 들어 있다. 아갈8의 투여는, 룽 계통의 질환 중, 여성의 폐질환에 투여한다. 또한 흉부에 통증이 있는 심장질환에도 투여하고 불면증도 대상이 된다. 아침 식전에 한 알, 취침 전에 한 알을 먹인다. 돌발적인 증상일 때는 낮에도 먹인다.

아갈20은 아갈8과 약제명이 비슷하지만 전혀 다른 약이다. 여기에는 빠마켓새슈 외에 19종의 약제가 들어 있어, 흰 쓰아 계통, 즉 잔마쓰아 질환이라든가 머리의 타박통 따위 증상에 투여한다. 고혈압을 수반하는 증상에도 듣는다.

• **빠우카루뽀** : 이 약초의 식물은 뿌리만 사용한다. 꽃과 줄기는 사용하지 않는다. 기본적으로는 열성인 전염병 환자에 효과가 있다. 몸 전체에 통증을 느끼는 경우에 잘 듣는다. 그러나 감기에는 효과가 없다. 약재는 특히 그늘에서 건조시켜야 된다.

• **우빼루못뽀** : 이것은 약재의 꽃만 그늘에서 말려서 사용한다. 비만체질이나 빈혈증상에 잘 듣는다. 기타 치이바계의 열병에 좋다고 한다. 특히 환자는 탈모방지에도 닐라, 가와-16, 린첸 단조루 등과 같이 투여하면 효능이 좋다.

3. 티베트의학의 약용식물

1. METOK-GANG-LHA (매도 캉그 라)

400~500m 고지에서 자생하는 국화류에 속하는 고산식물로 종류는 다양하다. 히말라야 산악에서는 진기하고도 귀한 식물이다. 중국에도 분포되고 있어서 설하화(雪荷花)라고 부른다. 이것은 대단히 귀한 약재로서 불로장생약으로 각광을 받고 있는 유명한 약재이다. 이와 같은 약꽃을 불교국인 부탄에서도 발견한 일이 있다. 흡사 백색을 띤 둥그런 국화 형태를 하고 있으

며 백설의 눈과 같아서 '눈의 신(神)'이라는 이름이 적합한지 모르겠다.

2. TSE (체)

Peucedanum Praeruptorum Punn.

- 뿌리 부분만을 약용으로 쓴다.
- 전호(前胡)는 하열, 진통, 진해, 거담에 쓰이는 약초이다.

3. TSER-NGON (체르 눈)

- Two species of Meconopiss horridula Hook f. et Thoms.
- Meconopsis horridula Hook f. Thomas. from nearby Lhase(Dogs-da).
- Meconopsis sp.

호리둘라=개자(芥子 : 파란 개자), 라사의 호리둘라=개자, 2종의 파란 개자로서, 푸루포피라고 불리고 있는 것은 속칭(俗稱)이다. 티베트 약제인 아갈35, 31 등에 함유되어 있다. 심장질환, 요통, 무릎 관절통, 후두통(後頭痛) 등과 스트레스 해소에 쓰이며 아갈8과 성분은 비슷하다.

4. TONGRIL-ZILPA (토오릴 젤포)

- Corydulis meifolia(키케만의 일종)

유독성 알카이드의 프로트핀을 함유한다. 우리나라에는 자주괴불주머니, 괴불주머니 등이 있는데, 코리다리스속(屬)에 속한다. 한방에서는 연호삭(延胡索)이라 하여 진경(鎭痙)·진통약으로 쓰인다.

5. HOLMO-SE (홀모 제)

임신 중절에 잘 쓰이는 약으로 독성이 거의 없다.

6. LUGRU-SERPO (룰루 세보)

- Pedicularis siphonoanta(purple), besides the Sera monastery.
- Pedicularis decorrissima Diels(Red).
- Pedicularis logiflora(golden) grown at Na-chhenmo.
- Pedicularis oliveriana Prain(white)

세라사(寺)의 시포안타(송이풀), 데릿시아(송이풀), 롱기플롤라(송이풀), 오리베리아나(송이풀)

꽃만을 쓴다. 꽃에는 노랑·빨강·하양·파랑의 네 종류가 있다. 노란꽃은 이명(耳鳴)에, 빨간꽃은 장염(腸炎)과 설사와 지혈제(止血劑)로 쓰인다. 일본 북해도의 대설산계(大雪山系)와 그 주변의 고산(高山)에서도 볼 수 있다. 큰산송이풀의 붉은 것은 북해도와 일본 혼슈우(本州)의 고산지대에서도 볼 수 있다. 명상시(瞑想時)의 식용으로 쓴다. 남성들의 강정제(强精劑)로는 노랑과 흰 것을 사용한다.

7. BON-KAR (퐁카르)

- White aconitin naviculare(퐁카르)
- Red aconitin naviculare(퐁마르)
- Yellow aconitin naviculare(퐁세르)

흰바꽃, 붉은바꽃, 노란바꽃, 이밖에 검은바꽃(퐁너크)도 있다. 퐁세르와 퐁너크는 독성이 강하므로 이 독성을 제거하고 쓴다.

퐁너크는 티베트약인 NILA와 Senden25에 함유되어 있다. 또한 퐁마르는 인두(咽頭 : 목) 부분이 붓는 증상 등에 쓰인다고 하며 진통, 진경(鎭痙)·거담(去痰)제이기도 하다. 퐁너크의 독성을 제거하기 위해서는 매일 찬물에 담가두는데, 이것을 3일쯤 계속한 뒤 어떤 종류의 콩과식물과 함께 끓여 준다. 그리고 퐁카르와 퐁세르는 해열제이기도 하다.

8. SERPO GUTHU (세르포 굿드)

피부질환에 쓴다.

9. Lang na (랑 나)

자색의 작은 꽃모양으로 약 20~30cm의 크기로써 약으로는 꽃만 사용한다. '랑나'는 티베트어로 코끼리 코를 의미한다. 복수(腹水), 신장 질환, 간 질환에 유효하다.

10. SOLO MUGPO (솔로 묵포)

자색 꽃으로 이 약초는 키가 10~20cm 정도의 초화(草花)이다. 꽃은 사용하지 않고 뿌리만 약재로 쓰인다. 뿌리는 크고 굵은 것이 특징이다. 뿌리 껍질을 벗겨 보면 꽃 색깔을 띠고 있다. 약효는 폐질환, 기관지염, 후두, 인후 등의 질환에 사용한다.

11. CHU-TSA (추저)

- Rheum palmatum.
- Male rheum embodi.
- Female rheum speciforme.
- Neutral rheum webbianum.

대황(大黃), 3종(種)의 대황

여뀌과식물로서 여뀌련(連) 3아련(三亞連)의 3번째 것 장엽대황(掌葉大黄), 당고특대황(唐古特大黄), 약용대황(藥用大黄), 조선대황(朝鮮大黄) 등 중국의 감숙(甘肅), 청해(靑海), 사천(四川), 운남성(雲南省) 등지에서 난다.

티베트 의약(醫藥)으로는 완하제(緩下劑), 상처의 외용약(外用藥 : 水腫의 치료)으로 사용한다.

이들 대황은 anthraquinone 유도체를 함유한다. 뿌리 부분에서 나오는 액체로 비단에 염색하면 아름다운 황금빛을 얻을 수 있다.

12. NGON BU (공보)

- Euphobia wallichiane.
- Lactuca lessertiana.
- Euphorbia soongarica.

대극(大戟), 등대풀, 씀바귀의 일종으로 무같이 생겼다.

약효는 이뇨·통경액 등, 종류에 따라서는 설사약으로 뿌리를 쓰기도 한다. 줄기에서는 우유 같은 즙이 나온다.

13. LI-GADUR (리 카두)

- Glycyrrhiza 감초(甘草)

뿌리만을 쓴다. 한방에서는 진해, 거담, 진경, 소화기관의 궤양 치료제로 쓴다. 1986년 Glycyrrhizin에는 에이즈 바이러스의 증식을 억제하는 작용이 있다는 보고가 있다. 팡겐-15에도 이것이 들어 있다.

14. KHANKAR (칸 카르)

약탕의 주성분이다. 티베트의 약탕은 여러 가지 약초를 혼합하여 자루에 넣어, 입욕(入浴) 전에 욕조에 넣어서 약쑥탕처럼 사용한다. 이것도 병세를 진단받고 난 뒤 약재를 사용하게 되어 있다.

기타로는 우유나 감초도 티베트의학에 가끔 사용된다.

15. JIBTSE MUGPO (짓티 묵포)

티베트 의약에서 말하는 치이바, 빼겐 질환에 널리 응용된다.

16. WANG-LAG (왕 라)

뿌리만을 쓴다. 말려서 가루로 만든다. 남성의 강정제. 티베트 본토에서는 조오모의 젖과 이 약초를 섞어서 쓴다. 남성쪽에 불임(不姙)의 원인이 있는 경우에 효과가 있다고 한다.

참고로 조오모란 데이(티베트 소라고 일컬어지고 있는 야크는 수컷을 부르는 이름이고, 암컷은 데이라고 부른다)와 수소와의 튀기(잡종)로서, 수컷이 태어났을 때는 조오라 하고, 암컷일 경우에는 조오모라고 부른다. 이 조오모의 젖을 쓰는 것이다.

17. TSA-DUE (싸 두에)

꽃의 색은 백색과 자색 두가지가 있다. 풀과 꽃을 약재로 사용하는 데 독성이 없는 풀꽃이라 간질병에 좋다고 한다.

18. JISIN GANGPHUG (지신 강구우)

- Astragalus sp(white)
- Inferior astvagalus sp.

- Astralagus yunnanensis

한국에서 재배되고 있는 노랑황기와 같은 계통으로 이뇨작용이 있다.

19. NYU DEWA (응고데와)

- Arisaema hoterophyllum Bl.
- Inferior arisaema heterophyllum Bl.

우리나라에서는 두루미천남성(天南星)이라고 한다. 이밖에 넓은잎천남성 등이 있다. 중국·한국·일본 등지에서 널리 분포한다. 뿌리줄기(根莖)를 천남성이라 하며 진통, 거담제로 쓴다.

20. CHA-BHU-TSE-TSE (차 부 체 체)

- Fritillaria.
- The so-called Bya-po-tsi-tsi(flower of peas), actually it's ceratostigma minus Stapfet. Prain produced in chhu-bzang, Tibet.

완두꽃, 케라토스티구마=미누스의 꽃(완두꽃으로 오인하는 수가 있다)

여성의 생리과잉에 쓴다. 또 이 열매는 식물유(植物油)의 대용품으로도 쓴다. 그리고 쌍파(보리로 만든 티베트 사람들의 주식)를 담는 목제(木製) 밥그릇을 닦는 데에도 쓴다.

21. DAITA-SAZIN (디이타 사진)

- Fraguria indica from Lha-rtse, inferior.
- Fraguria indica.

라즈에의 딸기. 티베트의 약제. 멘실, 쿤덴, 무틱-25, 유닌-25,

골곤-13, 탕첸-25, 다세르-37 등을 폭넓게 함유하고 있다.

흰 쓰아, 즉 신경계통의 질환에 쓴다. 이 계통의 것들은 부작용이 전혀 없으므로 프랑스에서 높이 평가되고 있다.

22. TSE (쎄)

- Ephedra sinica Stapf.
- Ephedra equisetina Bunge.

속새마황, 마황, 겹이삭마황 등 여러 가지 종류가 있으며, 줄기를 쓴다. 천식 치료약인데, 진해제로도 쓰고 강압제(고혈압약)로도 쓴다.

23. HONGLEN MUGPO (홍린 묵포)

- Two species of lagatis glanca Gaertn. Tibetan lagtis glauca Gaerth.

우릅프초(草)와 같은 종류인데, 뿌리만을 쓴다. 위장질환, 간질환 계통에 이용한다. 티베트 약제로는 멘실, 탕첸-25, 메가스르초, 센덴-18 등에 함유되어 있다.

24. LA KHANG (라 강)

- Cyperus scariosus.

뿌리만을 쓴다. 허파 계통의 질병에 이용하는 티베트 약제이며, 팡겐-15, 쏘-25에 함유되어 있다.

25. ZANG-TSI KAR-PO (잔 티아 카르 포)

- White galium aparineL. (흰겹갈퀴덩굴)
- Black galium aparineL. (검정겹갈퀴덩굴)

- Another species of white galium aparineL. (별종인 흰 겹갈퀴덩굴)

26. JIRUG MUGPO (치이룩 묵포)

- Elshottzia sp.
- Purple elshottzia sp. (leopard's tail)
- Purple elshottzia sp. (Dog's-tail)

꽃 색깔에 노랑, 보라, 빨강 등이 있다. 땅 위로 나온 부분을 향유(香薷)라 하고, 더위먹은 데, 입냄새 등에 쓴다.

27. SOGKA-PA (속카 파)

- Capsella bursa pastoris 냉이

뿌리·잎 모두 쓴다. 동양에서는 눈이 충혈된 데 쓰지만, 티베트에서는 진토약(鎭吐藥 : 메스꺼운 데)으로 쓴다.

28. CHE TSA (체 싸)

- Superior species from two kind of ranunculus pulchellus.
- Inferior species from two kind of ranunculus pulchellus.

꽃만을 쓴다. 잎의 크기에 따라 종류가 많다. 치이바 계통의 질병에 쓴다.

29. LUDUE DORJI (루트 도제)

티베트의 약제. 루드-18에 들어 있다. 전간(간질병) 증세에 대한 치료약이다.

30. TIG TA (틱 타)

• Swertia chirayta.

흰 꽃이 피는데, 뿌리, 잎, 줄기, 꽃 전부를 이용한다. 30cm 가량의 줄기가 있다. 간(肝) 계통의 질환에 특효가 있다. 티베트 약제에서는 MENSIL, TIG-TA-25, TIG-TA-11 등에 들어 있다.

31. NGO-TIN (우고 틴)

• Thalictrum foetidum L. from back of hill nearby the brasspungs monastery.

레븐사(寺)의 꿩의다리. 한·중·일 3국에 걸쳐서 널리 분포하는 좀꿩의다리의 일종으로 다년초이다. 한방에서는 쓰지 않으나, 티베트약에서는 해열제로 쓰는데, 도루카 의사는 쓰지 않고 있다. 성분은 알카로이드이며 풀 전체를 쓴다.

32. KHAN-KAR (칸가르)

한방에서 진해거담제로 사용한다.

33. HONBU (혼부)

입욕용의 약탕의 한 성분으로 사용한다.

4. 자연계를 토대로 한 약재

암이라는 개념은 원래 티베트의학에서는 존재하지 않았으므로 여기에 대응하는 약물이 없었다. 그러나 박사는 천여 종이 넘는 티베트 전통 약물로 현대사회의 여러 가지 난치병을 치료해 나가고 있다 그중 어떠한 종류의 약물에는 박사 자신이 직접 나서서 개선시키기까지 하고 있다. 그러한 약품들이 근래에 들어서 제조되고 있는 것이다.

최근 들어 동양인들의 식생활이 서양화되고 있고, 환경 오염도 심각하기 때문에 인간의 신체는 물론 정신분야까지 침식되이 가고 있다. 결국 알게 모르게 여러 가지 난치병들이 발생하기까지 이른 것이다. 치유하는 방법에 있어서도 현대의학만으로는 어려운 지경에 와 있다. 그래서 필자는 일찍부터 티베트의학에 관심을 가지게 되었고, 이들이 만드는 많은 약재들이 히말라야산(해발 5,000m 전후)의 고산식물계임을 티베트 불교지에 소개한 바가 있다.

티베트의학의 2000년 역사를 통해서 약품들의 성분이 식물뿐 아니라 동물계나 광물계에서까지 채취되고 있었으며, 그것들을 주성분으로 하여 만들어진 약품의 수만 해도 3,000여종에 달한다고 하니 놀라지 않을 수 없다.

현재 티베트 망명정부가 있는 다람살라의 정부 소속인 메디컬 센터에는 진료소, 병원, 의술학교, 제약공장 등의 시설이 들어서 있다. 규모는 크지 않았으나 피난 망명생활이라는 악조건 아래에서도 고산지대가 되어서 호흡이 어려웠다. 한 건물 안을 들여다보니 진료소인데 간판 이름이 'DR. YAMAMOTO CLINIC'으로, 야마모토 박사계(博士系)에서 직영하는 병원을 발견하였다.

약제실 안을 들여다보니 약장 속에 수백개가 넘는 티베트환약이 들어 있는 무수한 약병이 진열되어 있는 것을 보고 놀라지 않을 수가 없었다.(안내자의 말에 의하면 보통 쓰이는 약종으로 130종의 약품들이 주로 제조되고 있다고 설명해 주었다. 여기서 제조된 티베트 전통 약품은 멀리 해외 유럽, 미국 각국, 러시아 연방, 몽고, 특히 프랑스에서 많은 주문이 온다고 한다.) 해외로 수출된 약품들의 성능과 성분에서 좋은 평가를 받고 있다고 안내자는 거듭 자랑하였다.

인도 뉴델리에서 병원을 경영하고 있는 티베트인 의사 도루카 여사는 본인이 직영하는 티베트약 제조공장을 가지고서 신약도 개발 연구하며 임상에 임하고 있음을 여기서 다시 소개하는 바이다. 부언하자면 도루카 의사는 젊은 여성인데 역량이 뛰어나 본인이 직접 약초 채집단이라는 그룹 조직도 양성하고 있었으며, 본인의 제약 공장에서 모든 것을 독자적으로 경영하며 특히 조제법이나 처방도 독창성을 발휘하고 있었다. 장래가 유망한 티베트의학계의 보배적인 존재였다.

이미 앞에서도 언급한 바 필자는 1993년 8월부터 그녀와 같이 히말라야 산악지대의 약초 채집단의 일원으로 참석한 바가 있었다. 히말라야 산계의 준엄한 고산지대의 기상이 악조건임에도 불구하고, 티베트 약초가 생태에서부터 채집, 분류되는 과정을 직접 체험할 수 있는 좋은 경험을 하고 무사히 돌아온 일이 있었다.

필자가 강조하고 싶은 점은, 티베트 약물은 아유르베다의 인도계와도, 중국 한방계와도 다르다는 것이다. 박사께서 직접 인도계의 제약공장을 훑어보셨는데 같은 점은 전혀 없다고 이야기했다. 인도의 의학계에서도 조다구 박사의 공적을 높이 평가하며 감사의 표창을 한 일이 있었다. 서양의학의 맹점을 보강하고 현대적 난치병을 치유할 수 있는 많은 약품들을 제약, 산출하는 티베트의학에 관심을 기울여야 할 때라고 본다. 다음은 티베트 약물 중 특수한 몇 가지를 소개하고자 한다.

• 약물 이름 **DHUDHAR**(두우다르)

알레르기성의 질환, 즉 알레르기성 피부염 같은 경우. 단, 완치는 기대할 수 없고 증세가 경감된다고 한다. 오히려 주목할 바는 에이즈에도 효과가 있다는 것이 최근에 알려지게 되었다.

알코올 중독증으로서 에이즈를 앓고 있는 환자에게는 조기 투여로 상당한 효과를 보았다는 보고가 있다. 특히 '두우다르'와 '가와-16'을 병용했을 경우, 에이즈의 증상이 개선·경감되고 있다. 약 70명의 경우에서 확실히 경감된 사람이 13명, 완치된 경우가 뉴욕에서 모자(母子) 3명의 증례로 실증되었다고 한다.

프랑스에서는 약 30명에게 투여했는데, 증상이 가벼워지고, 2명은 완치되었다고 한다.

또한 프랑스에서는 방광암인 경우에서 외과수술을 피하고 약 1년 간의 투약으로 완치된 증례도 있다. 그리고 티베트어에는 방광암이라는 말이 없다는 것을 적어 둔다.

이 '두우다르'는 조다구 박사가 '가와-16'과 함께 개량한 약물이다.

복용법은 식전 1시간, 이른 아침에 1~2알을 하루치도 하여, 1년 정도 연속 투여할 필요가 있다. 경우에 따라서는 다시 1년 간, 합계 2년 간 복용하는 수도 있다.

성분은 금, 은, 수은, 구리(銅) 등, 광물질의 것이 주체인데 약 16종류의 성분이 섞여 있다. 이들 금속원소는 그냥 가루로 만들어서 쓰는 것이 아니라, 어떤 특수한 방법으로 구워서 섞어 만들어진 환약이다. 모든 티베트의 약품은 환약으로 되어 있는데, 이것을 1알씩 깨물어 복용한다. 입안에서 씹어 삼켜도 좋으나 상당히 쓰므로 호두까기 같은 기구로 잘게 부수어서 오브라이트로 싸서 먹으면 간단하다. 이 방법은 내가 지어 낸 방법이다.

• 약물 이름 **LIKUN-11**(리쿤-11)

천식에 복용한다. 체질적으로 비만형인 환자에게는 이 '리쿤-11'만을 복용시키지만, 천식의 증상에 따라서는 다른 약물과 병용한다. 이때에는 복용방법도 달라진다.

주성분은 작은 검은 포도의 일종이 처방되어 있다. 그밖에 식물의 꽃, 아주 미세한 흰모래라고나 할만한 초우간 등 약 10여 가지 재료와 혼합되어 있다.

복용은 식전 30분, 하루에 3번, 3알씩, 증상에 따라서는 조석으로 2회에서 3알씩으로 하고, 점심 후에는 다른 것을 병용한다.

• 약물 이름 **NILA**(닐라)

소화기 계통의 질환(위, 작은창자, 큰창자), 소화불량, 소화기의 암, 피부염, 외상, 척추만곡, 화학 약품에 의한 상처, 풍사(風邪), 화상 등에는 빻아서, 돼지기름에 섞어 개어서 바른다. 그리고 최근에는 에이즈에도 효과가 있다고 한다. 새까만 작은 알갱이로서 지름이 약 2mm 정도, 다른 티베트약은 지름이 대개

7~8mm, 큰 것은 10mm 정도이다. 그리고 한센씨병(문둥병)에도 유효하다고 한다.

복용법은 경증인 경우는 조석으로 5알씩, 중증에는 아침, 점심, 저녁으로 3회에 5알씩.

성분은 싼도크(싼두라는 나무 뿌리인데 강한 독성이 있으며, 그 독성을 제거하고 쓰는데, 양이 많으면 죽는 수가 있다), 슈다(담수호에서 자라는 물풀로 물속줄기를 쓴다), 수은, 아투우, 라쓰이, 라피스라줄리(파랗거나 노란 부분만을 쓰고 흰 부분은 쓰지 않는다) 등.

• 약물 이름 **KYURU-6**(큐류-6)

당뇨병, 이를테면, 혈당치가 상당히 높은 경우에 처방한다. 동맥경화에도 효과가 있다. 이 '큐류-6'은 조다구 시의(侍醫)에 의해서 개량된 것이다. 큐류라고 하는 것은 나무(2m 정도의 낮은 키나무)인데, 목질은 비교적 단단하고, 인도의 평지에 많이 나는 식물이다. 추운 지방에서는 볼 수 없다. 그 식물의 작은 열매가 주체이고, 그밖에 5종류의 물질이 혼합되어 있다.

복용 방법은 조석으로 2번, 식사 전에 3알씩, 하루치가 6알인데, 혈당치가 특히 높은 때에는 아침, 점심, 저녁 3회, 3알을 1회 분량으로 하고, 복용 기간은 15~20일 정도이다.

• 약물 이름 **YUKAR**(유카르)

자궁, 위, 간장, 난소, 대장의 전반적인 모든 질환 외에, 그것들의 암에도 효과가 있다.

주성분은 피피린(나무열매), 루우타아(풀의 일종), 석류, 큐류

(앞서 말한 나무의 열매) 등.

특히, 이것들을 복용중에는 일반적으로 신맛이 있는 과일(사과, 오렌지 따위)이라든지 특히 흰 설탕을 주체로 한 식품, 망고 따위는 먹지 말아야 한다.

티베트약을 복용중에는 일반적으로 신맛이 있는 식품, 주류(酒類), 특히 흰 설탕이 든 식품은 피하는 것이 원칙이다.

용법은 하루에 3번, 매 식전에 3알씩. 단 다른 티베트약을 병용할 때에는 하루에 한번 3알씩.

• 약물 이름 **GAWA-16**(가와-16)

별항(別項)의 '두우다르'와 함께 쓰는 처방도 있으나, 특히 에이즈 질환에서 알코올 중독은 아니고, 체질적으로 허약한 환자는 '가와-16'만을 복용한다.

1985년에, 조다구 박사가 이전부터 있던 처방인 '쿨크시이'를 개량한 것이다.

술을 즐기는 알코올 중독자의 에이즈 질환에는 앞서 말한 '두우다르'를 쓴다. 반대로 술을 마시지 않는 환자로서 원래 허약한 체질인 환자에게는 '가와-16'을 처방한다.

이 '가와-16'의 주성분에는 수은을 태운 것이 들어 있으며, 또한 철분과 구리 성분도 들어 있을 뿐만 아니라, 기이원도 조금 들어 있다.

그밖에 약 10종류 이상의 식물이 섞여 있는데, 그 대표적인 것으로 카시미르 지방을 주산지로 하는 쿨쿰이라는 붉은 꽃이 피는 식물 등도 들어 있다.

복용법은, 식사 전에 하루에 조석으로 한 번에 3알씩.

에이즈용으로 개발한 것은 아니고 암에도 효과가 있는데, 특히 암 예방에도 도움이 되고 있다.

• 약물 이름 **MUTIK-25**(무틱-25)

흰 쓰아의 질환. JANGCHOE-37과 같은 효과가 있다. 프랑스인이 특히 좋아하는 것은, 서양의학 약품들은 부작용이 현저하므로 이것을 높이 평가한다.

복용법은 중증일 때는 점심, 저녁 식사 후에 1알씩. 그리고 아침 먹기 전에 TANGCHEN-25 3알을 병용하거나 DHA-SHEL-25 1알. 경증일 때는 저녁 식사 후에 1알만 먹는다.

성분은 흑진주나 백진주, 사향, 기이원(노란 간석=肝石, 코끼리의 것이 좋으나 소에도 생기므로 대용되고 있다), 붉은 진저, 디타사진 등.

• 약물 이름 **SENDHEN-25**(센덴-25)

흰 쓰아와 붉은 쓰아의 질병에 듣는다. 특히 관절통에 잘 듣고, 알코올 중독으로 인한 사지와 등쪽의 동통(疼痛)·안면통 등에 효과가 있으며, 3차신경통에도 잘 듣는다. 중증(重症)에는 탕첸-37이나 무틱-25 쪽이 보다 효과적이다.

복용법은 점심 먹은 뒤에 3알, 아침 식전에 DHASHEL-37을 병용한다. 등쪽에 동통이 있는 경우는 취침 전에 아갈-35를 병용한다.

성분은 센덴(노란 것과 붉은 것이 있으며, 큰 나무인데 전부를 사용한다. 네팔에 특히 많고 히마찰프라데시주에서도 채취된다), 라피스라줄리, 진주, 서각(코뿔소의 뿔), 녹각(노루의 뿔), 카이샤칸의 꽃(꽃은 파랗고 열매는 노랗다. 카시미르 지방에서 나는데, 열매만을 쓴다. 향이 짙다) 등.

• 약물 이름 **MENSIL**(멘실)

간장 계통의 질환에 쓰이는데, 정혈(淨血)작용이 있어, 변비증, 천식, 과산증(過酸症)에도 쓰인다.

복용법은 아침 식사 전에 3알, 중증(重症)에는 점심 후에도 3알을 먹는다. 성분은 알루우, 큐류, 파루우(파루우나무에 열리는 열매), 기이원, 루터(루터풀의 뿌리), 호렌(호렌 풀 전체를 사용) 등 24종(種).

• 약물 이름 **TSENDEN-18**(센덴-18)

안정피로(眼精疲勞), 구갈(口渴) 등의 동통(疼痛), 혈류(血流)의 조정, 심장 계통의 질환에 쓰인다. 그리고, 아갈을 병용(아갈-8 내지 35).

복용법은 1회에 3알, 점심이나 저녁 식후에.

성분은 붉은 백단(白檀), 큐류, 호렌, 알루우의 열매, 파루우의 열매, 빠샤카의 꽃 등.

• 약물 이름 **TULTHANG**(툴탕)

감기, 기침, 오한, 구갈(口渴), 권태감, 알레르기 등.

복용법은 굵은 한약이므로 잘게 빻아 1컵의 뜨거운 물에 타서 곧 마시거나 그대로 하룻밤 두었다가 마신다. 식후 30분, 하루에 1번, 중증일 때는 2알씩 하루에 2번.

성분은 마누(스피티 지방에서 나는 무와 비슷한 풀), 칸다(가

시가 돋은 가늘고 긴 나무)의 줄기나 뿌리의 속 등.

• 약물 이름 **BEMALA**(베말라)

정신장해, 정서불안정(폭력적), 울병(鬱病).

티베트 본토의 사무에에서 1200년 전에, 의학 발표회가 열린 이후 쓰이고 있으며, 금침(金針)과 뜸이 병용된다.

복용법은 중증은 조석으로 1알씩, 경증은 밤에만 1알.

성분은 저티이(향기가 강하다), 아갈, 쌩그(그 파란 꽃을 쓴다. 블루포피 일종), 셈점(노란 것을 사용) 등. 이 베말라는 식물이 주체인데, 17~8종류를 함유한다.

• 약물 이름 **DHADU**(다두)

간장, 위의 질환, 눈의 충혈, 시력 감퇴 등에 쓰는 보건약(保健藥).

복용법은 하루에 1번, 아침 먹기 전에 1알씩.

성분은 알루우, 치야아(무른 쇠=軟鐵), 카지샤감(쿨쿰이라는 꽃을 닮았으며, 카시미르주(州)에서 채취한다), 타크슌(石質에서 滲出한다), 두티추에(100종류 전후의 향신료를 섞는다)를 비롯한 7가지 종류.

• 약물 이름 **GURGUM-13**(쿨쿰-13)

신장·간장의 질환, 알레르기, 비염 등 가와-16과 비슷하므로 어느 것을 복용해도 좋다. 달라이 라마 14세 법왕의 상비약이기도 했다.

복용법은 하루에 3번, 3알씩. 성분은 쿨쿰(노란꽃만), 추간(대

나무 속에 있는 요구르트 같은 흰 부분), 기이원, 서각(犀角) 등.

• 약물 이름 **AGAR-8**(아갈-8)

등이 아픈 데(背痛), 허리 아픈 데(腰痛), 정신적인 질환의 조절(예컨대 스트레스의 완화).

복용법은 중증에는 조석으로 큰 알 1개씩, 또는 작은 알 3개씩 쓰고, 경증에는 밤에만 같은 양을 쓴다. 아갈에는 8, 11, 15, 18, 19, 25, 35의 여러 종류가 있다. 이 숫자는 포함되어 있는 식물의 수를 나타낸다.

성분은 아갈(남인도에서 나는 것은 아갈아나이고, 아삼에서 나는 것에는 아갈고뇨와 아갈아캬) 등이 있다.

• 약물 이름 **AGAR-35**(아갈-35)

흰 쓰아, 붉은 쓰아, 룽 체질의 질환과 심장 계통의 질환, 등 쪽의 동통, 요통, 무릎 관절통, 후두통(後頭痛) 등 스트레스의 완화에 쓰인다.

복용법은 중증에는 조석으로 큰 것 1알씩, 작은 것이면 3알씩, 경증에는 밤에만 한 번씩. 용량은 같다.

• 약물 이름 **THANGCHEN-25**(탕첸-25)

식중독, 십이지장, 간장, 담낭, 위의 질환과 알레르기성 피부염 등에 듣는다. 그리고, 환경 오염에 의한 여러 질환에도 효과가 있다고 한다.

복용법은 중증에는 하루에 3번 3알씩. 경증에는 조석으로 3알씩.

성분은 거의 다 식물이 주체이다. 호렌(보라색 꽃인데 맛은 쓰다. 全草를 사용), 페찬 리이레엘(덩굴 모양인데 원숭이 꼬리를 닮았다) 등.

• 약물 이름 **RILPE**(릴페)

소화기 질환(위장 · 간장 등), 소화불량, 구토 등.

복용법은 아침 식사 전에 3알, 구토가 심할 때는 하루에 3번 3알씩.

성분은 레군(히말라야 산지에서 나는 풀. 풀 자체가 붉은색으로 꽃, 줄기, 잎, 뿌리 전체를 사용), 루다, 타크슌 등 외에도 2~3종류.

• 약물 이름 **PANGEN-15**(팡겐-15)

천식에 효과가 있다. 또 등에서 허리 쪽으로 뻗쳐 일어나는 계속적인 동통에도 효과가 있다.

성분은 팡겐이라는 식물의 꽃인데, 이 식물은 히말라야 산지에서 밖에 나지 않는다. 단지 소로라고 하는 약초 등등. 전부 합쳐서 15종의 풀과 꽃들이 성분이다.

복용은 하루에 3번, 한 번에 3알씩, 식전 또는 식후 30분에 복용한다.

효능으로는 감기 따위의 기침약으로도 효과가 있다.

• 약물 이름 **CHOETANG-37**(초탕-37)

효능은 신경계통의 동통, 후두통(後頭痛 : 뒷골이 아픈 데), 등 아픈데, 양팔의 관절통, 그밖에 반신불수 등. 티베트의학에서 말하는 '흰 쓰아'의 질환에 관계되는 것에 유효하다.

성분은 37종인데, 주된 것은 백진주(단, 검은 진주가 더 좋다고 한다), 서각(물소뿔), 녹각(노루뿔, 서각은 구하기 어려워 녹각으로 대용한다고 한다), 어떤 종류의 조개껍데기 등. 서각은 약 10만 알을 만드는 데에 4kg을 쓴다고 한다. 인도의 아삼 지방에서, 서각은 1kg이 5만 루피 한다고 하니, 많은 액수의 서각이 필요하다는 계산이 된다. 인도 사람의 한 달 평균 수입이 약 6만원이므로 고귀한 약임이 분명하다.

복용법은 조석으로 2번, 식후에 1알씩.

그리고 이 약품에는 대소(大小) 2종류가 있는데, 굵은 것은 한 번에 1알이지만, 알이 작은 것은 한 번에 3알을 쓴다. 복용 기간은 20일에서 한 달쯤으로 효과를 본다.

중증인 경우는 1년 간 연속 복용한다고 한다. 프랑스에서는 이런 증상인 경우가 많아, 앞서 말한 박사는 유럽에서 이 처방으로 성과를 올리고 있다고 한다.

이 약물과 흡사한 약효를 가진 것에 별항에서 소개하는 '라트나 삼휄'이 있다.

• 약물 이름 **RINCHEN RATNA SAMPHEL**(린첸 라트나 삼휄)

앞서 말한 '초탕-37'과 효과는 같다. 특히 주성분인 서각(犀角 : 물소뿔)은 이 '라트나 삼휄'에는 많은 양이 들어 있다. 그밖에도 금, 은, 수은도 함유하고 있다. 그리고 광물로서는 에메랄드와 터어키석(石)도 쓴다. 식물은 아갈이라는 나무가 쓰인다. 이 같은 광물은 약효를 증가시키는 작용이 있다고 한다.

복용 방법은 앞서 말한 것과는 달리, 보름에 한 번, 아침 식전에 1알을 복용하면 된다. 전날 밤에 잘게 빻아서 미지근한 물에 담가서 녹여 두었다가 기상 직후에 복용한다. 약을 먹은 당일과 다음날 이틀 간은 신맛이 드는 과일, 이를테면 사과라든지, 쇠고기(돼지고기도) 따위는 금한다. 또 술도 이틀 간은 금지한다.

약효는 중중, 언어장해, 반신불수 등등 '흰 쓰아'의 질환에 유효하다. 앞서 말한 약물과 같으나, 중증에는 이 '라트나 삼헬' 쪽이 훨씬 효과적이다.

• 약물 이름 **RINCHEN MANGJOOR CHENMO**(린첸 만주르 첸모)

'만주르 첸모'의 주성분은 별항(別項)의 '라트나 삼헬'과 비슷한 구성이다.

금, 은, 철, 산호, 터어키석(石), 크로프, 너츠메그, 서각(물소뿔), 수은과 다음 3가지 초목(草木)의 뿌리, 즉 '퐁'이라는 식물인데, 꽃도 뿌리도 같은 색을 띠고 있다. 퐁마르(붉은색), 퐁세르(노란색), 퐁카르(흰색)의 3가지로서, 퐁마르는 티베트 본토에서 채취되지만, 퐁세르와 퐁카르는 부탄의 푼쏘린 부근이 특산지라고 한다. 물론 퐁마르도 부탄에서 난다. 참고로 이것들은 바꽃속(屬)의 계통인데, 그 독성을 제거하고 쓴다. 퐁카르의 흰 것은 다람살라 부근의 마나리라든가, 스피티이 등지에서 채취되고 있다. 이들 퐁의 3종류는 특별히 쓴맛을 지니고 있다.

이 약물의 역사는 오래다.

서기 800년대에 완성된 《규씨이》를 주재(主宰)한 티베트 의학의 아버지라 칭하는 유두 닌마 윤댄곤보 등은 장차 인류는 그 당시로는 상상도 하지 못하던 질병으로 고통을 겪을 것이라고 예견했고, 그 기록이 남겨져 있다고 한다. 당시 식중독에 대한 해독제라는 관점에서 처방된 것이 이 약물인데, 장래의 인류를 위하여 도움이 될 것이라는 신비스러운 예견을 했던 것이다. 그 것이 사실화되어 현재 식중독을 비롯하여 화학적인 오염에 의한 여러 질병에 투여되어 효과를 보고 있는 것이다. 그리고, 또 식욕감퇴나 구토증 등에도 사용되고 있다.

복용법은 1주일에 한 번, 1알을 아침 식전에 복용한다. 중증일 때에는 3일에 한 번, 1알씩 먹고, 대체로 2달쯤 계속한다. 보통 2달 간에 8알, 중증이라면 그 두배의 양이 된다.

- 약물 이름 **RINCHEN JUMAR-25**(린첸 주마르-25)

약효는 후두통(後頭痛)에 주로 쓰고 흰 쓰아에 의한 요통, 무릎 관절의 통증 등에도 쓴다.

주성분은 서각(물소뿔), 코랄(특히 붉은 산호), 라피스라줄리, 진주조개의 조개껍데기, 진주, 사프란, 러츠메그, 크로커스 등, 약 25종류의 약제에 의해서 합성되어 있다.

복용은 하루에 3번, 아침 식전이나 식후 어느 때에도 좋다. 1~2주일로 효과를 본다. 복용 후 4시간 전후에 효과가 나타나므로, 즉효성이라고 할 수 있다.

대량으로 복용하면 복통을 수반하므로 주의하는 게 좋다. 경증일 때에는 2일 간의 복용으로 경과가 좋아지고 치유된다.

- 티베트 약제의 복용법

'룽'계의 병환은 약을 복용할 때 아침 기상 직후가 아니면, 저녁식사 후에 복용하는 것이 일반적이다. 그 이유는 룽계 환자들의 병세는 보통 아침저녁으로 증가하기 때문이다. 또 계절적으로 하절기(여름)에 병세가 나타난다.

'치이바'계의 병환에는 점심 후가 아니면 저녁 식사 후에 복용하는 것이 좋다. 그러나 밤중에 약을 복용하는 것은 좋지 않다.

또 빼겐계의 병환에는 증세가 강하게 노출될 때에는 식후 즉시 복용하는 것이 좋다. 빼겐계의 질환은 보통 아침 일찍부터 증세가 나오고, 봄에 잘 발생한다.

이것은 복용하는 원칙이지만 그렇지 않은 예외적인 경우도 있다. 때로는 티베트술(酒)과 같이 복용하는 경우가 있다. 일반 서양의학과는 달라서 티베트약은 음식을 섭취하는 것과 같은 개념으로 약을 먹는다고 표현한다. 거의가 환약이기에 또 티베트약은 쓴맛이기에 분말로 만든 뒤, 오부라이트 포장에 싸서 복용하는 방법을 권한다.

티베트약을 복용하는 데 있어서 우선 약물을 입 안에 넣고서 잠시 물고 있다가 생수 혹은 냉수로 먹는다. 어떠한 약은 죽이나 수프처럼 만들어서 먹기도 한다. 당구와 아갈-35를 병용해

	태 양 력	티베트 달력	발병하기 쉬운 질환
겨울 후반	1월 · 2월	11월 · 12월	*빼겐
봄	3월 · 4월	1월 · 2월	빼겐
여름 전반	5월 · 6월	3월 · 4월	*룽
여름	7월 · 8월	5월 · 6월	*치이바
가을	9월 · 10월	7월 · 8월	치이바(룽은 적다)
겨울 전반	11월 · 12월	9월 · 10월	빼겐

티베트의 3월 · 4월은 여름의 전반이라고 하지 않는다. 이 계절은 스이가라고 한다.
* 표는 특히 많은 질환계(疾患系)를 나타낸 것이다.

서 먹으면 감기뿐만 아니라 체질강화와 면역력을 높이는 데도 간접적 효과를 노리는 약임을 알려둔다.

5. 티베트의학과 달력(曆法)과의 관계

티베트 달력에서는 한 계절을 두달로 잡는다. 그래서 1년을 여섯 계절로 나누어 보는 것이다.

• **열성계의 쓰아** : 진맥상 굵고 크면서 높은 파동과 감촉을 느끼게 한다. 그래서 검진하기가 다소 쉽다고 한다. 병세는 위장, 간장, 대소장, 십이지장의 궤양성 질환 특유의 쓰아(脈)이다. 과도한 음주자, 육식을 좋아하는 사람, 시고 매운 것을 과다

24시간과 발병하기 쉬운 질환계(疾患系)

룽 계통이 강해지는 시간대	날이 새기 전(7시~9시)과 저녁때(16시~18시)
치이바 계통이 강해지는 시간대	한낮(12시~14시)과 한밤중(0시~2시)
빼겐 계통이 강해지는 시간대	아침(7시~9시)과 밤(21시~22시)

이에 관해서는 《규씨이》에 기술된 바가 없다.

연령의 구분과 질환계의 관련

미 성 년	0~16세	빼겐계의 질환이 많다.
성 년	16~70세	치이바계의 질환이 많다.
노 년	70세 이상	룽계의 질환이 많다.

하게 섭취하는 사람에게서 주로 발견되며, 약 18종의 증세로 나타난다. 열을 가지고 오고, 한번 호흡하는 동안 쓰아의 수는 2회 정도로 적은 편이다. 불량한 쓰아라고 본다. 역으로 1회 호흡 중에 쓰아가 9회 정도 뛴다면 그것은 거의 사맥(死脈)으로 보는 것이다.

• **한랭성의 쓰아** : 비교적 쓰아 파동이 강하고 얇다. 쓰아에 근본적으로 힘이 없고 가늘고 속도도 느리게 뛴다. 이상의 두 가지 열성계와 한랭성은 건강하지 못한 쓰아의 주체인 것이다.

6. 일상적 생활에 많이 사용되는 티베트 약품

북인도 다람살라에 있는 티베트 메디컬센터에서 일상 임상에서 사용되는 대표적 티베트 약품을 몇 가지 소개하고자 한다.

(1) 두통만을 주로 호소할 때는 고루과 또지라뿌종. 두가지 약은 즉효성은 없었으나 복용 후 2~3시간이 지나 서서히 약효가 나타났다.

(2) 허리에 통증이 있을 때는 '닐라' 복용 후 2, 3시간 지나 효과가 나타났다.

(3) 구강 내에, 특히 잇몸이 부었을 때는 아갈-35 혹은 닐라 두 약은 증세에 따라 효과가 있었으나 효과율은 낮다.

(4) 눈이 아플 때는 가와-16, 탕첸-25 이 두가지 약품을 합해서 1주일 간 복용한다.

(5) 인후부(咽喉部)가 아프고 기침을 할 때는 팡겐-15, 혹은 쏘-25 또는 주강-25를 진해(鎭咳)와 진통제로 3~4일 간 복용

한다.

(6) 턱 관절통의 경우는 아갈-35를 투여한다. 원인이나 대상 요법은 쉽지 않다.

(7) 보통 감기에는 만리뿌를 가루로 복용하면 발열시에 후두통과 두통에 유효하다.

(8) 특별한 감기용으로는 툴탕이라고 하는 큰 환약을 냉수에 녹여서 복용한다. 특히 발열할 때 잘 듣는다.

(9) 일반 감기말고 폐렴 등 증세를 일으켰을 경우, 즉 감기가 심할 때는 룽과 치이바게의 병이 발생했을 때는 쏘-8을 투약한다. 해열에 좋다.

7. 티베트의학에서의 질병의 분류

앞서 언급한 바와 같이 현대에 발생하는 대부분의 질병들은 전생의 업력(카르마)과 관련이 있다. 현대의학에서는 불합리하다고 생각할 수도 있으나, 티베트의학에서는 카르마 혹은 업병(業病)이라고 하는 표현은 자주 사용되는 말이라 전혀 생소하지 않다. 카르마와 관계가 없는 질병은 후천적인 것이다.

즉 일상적 식생활이라든지, 특정 직업, 주거 생활, 남녀간의 교제 등이 원인이 되는 것이다. 이러한 조건은 카르마와 관련되어서 나타난 모든 병환의 깊고 얕은 것을 알아낼 수가 있는 것이다. 만일 발생된 질병이 카르마와 관계없다면 틀림없이 룽, 치이바, 빼겐 등의 세 가지 요소가 정상적으로 움직이지 않고 있기 때문에 일어나는 질병이라고 보는 것이 좋을 것 같다.

세가지 밸런스를 진맥·진단해서 그 원인을 탐색하는 것이다. 특히 업력(業力 : 카르마)이라는 것은 티베트의학에서 너무나 크게 중요시하고 관심을 기울이고 있는 것이다.

고로 티베트의학에서 카르마라고 하는 요인·요소 등 너무나 가깝게 대하고 있으며 부자유스럽지 않은 용어가 되고 있다. 현대의학 쪽에서 볼 때는 불합리하다고 지적할지는 몰라도 예를 들어서 말하자면 선천적 유전성 정신성 등의 특성은 업력이라는 개념으로서만이 아니라는 것이라고 본다.

성별이나 연령별로서 대표적으로 병의 종류를 열거해보면, 남성 특유의 질환, 소아(小兒)에 한정된 질환, 여성 특유의 질환, 노인성 질환 등 4가지이다. 남성 질환은 17종, 소아 질환은 24종, 여성 질환은 32종, 그리고 노인성 질환은 4종이 있다. 특히 노인성 질환의 원인은 지(地), 수(數), 화(火), 풍(風), 공(空)의 다섯 가지 요소의 힘이 저하되어 발생하는 것으로 보고 있다. 이것은 남녀의 구별이 없이 다음 네 가지로 집약된다.

(1) 내에바·룽 질환 42종, 치이바 26종, 빼겐 33종으로 모두 101종이다.

(2) 쏘, 즉 신체 내의 혈액 상태와 증감 등으로 일어나는 질환으로 74종, 기타 병발(併發)하는 별개 27종, 계 101종이다.

(3) 류쓰기이, 즉 소화불량의 쇠약으로서 발병하는 48종으로 급성증과 만성 증상 등 전부 포괄해본다면 그 수는 더 증가한다.

(4) 내애–부상이 발생된 신체상의 장소·부위가 15종, 외부로 열을 뿜는 경우, 또 열이 내부로 향하는 경우 한정된 열성

질환 등 19종, 또 몸 전체로 발생하는 37종, 기타 신경계인 잔마쓰아에 나타나는 질환 등 내애라 함은 신체와 심리를 포괄하여 말하는 뜻이 포함되어 있다.

또 분류해서 보면 상반신부는 18종, 하반신부는 5종, 피부피하(皮膚皮下)의 내부와 골부(骨部) 전체로서 20종으로 피부 표면이 10종, 내부라고 하면 근육과 임파질환(淋巴疾患)의 3종 흑색 루마쓰아와 백색 잔마쓰아 질환 3종, 이러한 3종으로부터 여러 가지 질환을 열거할 수가 있다. 즉 뼈에서 발생하는 3종, 각부 전체에서 발생하는 질환 일종으로 모두 20종이 된다. 기타로는 정신이상과 분열증·건망증 등 2종이 있다.

이상의 질병을 다시 한번 요약해 본다.

* 후천적인 일상생활면에서 생긴 여러 질환들로 투약으로써 치료할 수 있는 병이 101종

* 급성 증세로서 투약이나 자연 치료로 가능한 병이 101종

* 업력병으로 치유가 어렵거나 난치병에 속한 병들이 101종

* 인간관계나 일상생활에서 발생한 스트레스는 투약이나 마인드 컨트롤 등으로 치유하는데, 증세는 101종이다.

합계는 404종(한국 불교에서도 404병 영영소멸하면서 기도를 한다)에서 합하여 1,016종, 7,080종 등으로 증가하는데 그것은 내에바, 쏘, 류쓰기이, 그리고 내애 4종이 상호 관련되어서 많은 수의 질병을 일으키게 된다.

1) 투약상 주의할 점

흔히들 티베트약은 빠른 효험이 없다고 해서 병세 변화를 고

려하지 않고 장기간 연속적으로 복용하는 경우가 있는데 이것은 좋지 않다. 물론 증세가 악성이거나 악화될 경우 투약을 강화시키는 것은 당연하나, 경과가 호전되어간다면 투약을 약화시키는 것이 현명한 방법이다. 주의할 점은 환자의 병세가 악성도 아닌데 처음부터 강력한 투약으로 밀고 나가는 것은 위험하며 병을 회복시키기 어렵고 더욱 악화시킬 수 있음을 기억해야 한다. 그래서 진맥을 통해 재검진을 받은 뒤 투약하는 것이 좋다.

2) 진단 요소

① 질환의 강약을 진단하기 위해서는 우선 개개인의 신체적 힘을 판단하여 골격이나 혈액, 혈관 등을 전반적으로 파악한다. 동일한 질환이라도 개인마다 저항력의 차이가 있으므로 대변, 소변, 땀 등을 검사한다.

- 룽계의 질환은 변화하여 골부에 영향을 준다.
- 치이바계의 질환은 혈액과 간에 영향을 준다.
- 빼겐계의 질환은 근육, 지방, 골수에 영향을 준다.

② 지역성의 영향 : 이것은 질병이 환경과 무관하지 않음을 의미하는 것이다. 환자가 일상 거주하고 있는 지역에 있어서의 질병의 경향, 가령 건조한 지대냐 고산지대냐 등을 참작해야 한다.

③ 계절의 영향 : 어느 계절을 타는 사람이냐를 따져본다.

④ 체질을 본다. 가령 룽계의 환자가 룽계의 질환에 걸리면 병이 악화된다. 그러나 역으로 룽 체질의 환자가 치이바계의 병에 걸렸을 때는 비교적 치유하기 쉬운 특징이 있다.

⑤ 네감 : 이것은 티베트말로 개개인의 환자의 모든 증세나 환

경을 보고 난 뒤, 그 환자가 이대로 가면 앞으로 어떤 병에 걸리기 쉬운가를 미리 예상하는 진찰법을 말한다. 그래서 사전에 주의해야 한다.

⑥ 네이애 : 이것은 환자의 현재 질환 상태가 어떠한 병에 감염되기 쉬운가를 알아내는 것을 뜻하는 티베트말이다. 앞서 말한 룽, 치이바, 빼겐 등 세가지 질환 등이 상호 관련되어 일어나는 변화를 또 다른 병세와 연결시켜서 판단하는 것을 말한다.

⑦ 매도우 : 사람의 체온을 지칭할 때 쓰는 용어이다. 소화나 호흡이 잘 되는 환자는 치이바계로 즉, 위 내부에 온도 조절이 잘되기 때문이다. 빼겐류 환자는 소화불량증이 지병이 되고 소화되는 과정이 느리다. 룽계 환자는 식욕부진 등 불안정 요소가 많다.

⑧ 중요한 것은 환자 자신의 힘(에너지)의 크고 작음이 질환에 주요한 영향을 미친다는 것이다.

⑨ 곤뽀 : 개개인의 식생활과 일상적인 생활 습관을 일컫는 말이다.

이상의 9항목을 진단시에 적용하면서 진사(診査)한다. 이 9항목 전부를 조쥬라고 말한다. 룽·치이바·빼겐의 3요소가 언밸런스하면 병이 생기기 쉽고, 밸런스가 평균적으로 유지되는 환자는 각 항목에 설사 문제가 있어도 치유되기가 쉽다. 각 항목 안에서 한두 항목에만 문제가 있어도 비교적 쉽게 치유가 가능하다. 그러나 4항 내지 5항목에 문제가 생겼다면 치유가 좀 어렵다고 본다. 6항목이나 걸리는 환자는 병 상태가 많이 악화되었다고 볼 수 있다.

즉 환자의 죠쥬를 진단하여 앞으로의 진행상태를 예측하며 환자를 지도하면서 투약도 한다.

8. 진단상 룽, 치이바, 빼겐의 외면적 특징

내부 진찰을 시도하는데 가끔 오진하는 경우가 일어나기 때문에 이번에는 외부에서부터 진단법을 적용하는 것이다.

1) 룽의 외견상 특징

사람의 자세가 다소 꾸부정하면서 비교적 체구가 마른 사람이다. 안색은 일반적이면 흑색이 안 나온다. 쓸데없는 말을 많이 한다. 겨울에 추위를 많이 탄다. 보행이 빠르며 잠을 깊게 못 이룬다. 비교적 장수자가 적고 키가 크지 않은 사람이 많다. 잘 웃는 편이나 언쟁을 좋아한다. 음식은 단것을 좋아하고 신것, 매운것도 같이 좋아한다. 활동적인 것을 좋아하나 몸체는 빈약하다.

2) 치이바의 외견상 특징

자주 구강 내 갈증을 호소한다. 체온을 조절함에 건조화의 경향이 있다. 소화가 잘 되어 공복감을 강하게 표현한다. 신체나 안색은 황색을 띤다. 두뇌가 좋은 편이고 발상력(發想力)이 풍부하고 자기 주장이 강하다. 땀이 많이 난다. 비교적 장수자가 많지 않다. 신장은 보통이고 단것, 매운것, 죽과 스프 같은 것을 좋아한다. 움직임이 민첩하고 경쾌하다.

3) 빼겐의 외견상 특징

전신의 촉감이 냉하여 손을 만져서도 알 수 있다. 수면 상태가 좋고, 피부는 하얀 편이다. 소화력이 낮은 편이라 공복감을 잘 느끼지 못한다. 타인과의 언쟁은 좋아하지 않고 추위나 더위에 민감하지 않다. 진한 차를 좋아하고, 장수하는 경향이 있다. 초조함이 없어 매사에 여유를 보이는 편이고, 타인으로부터 신뢰를 받는 인품이 많다.

약술한 가운데 이상적인 쪽은 보통 빼겐계의 남녀들이라고 본다. 최상의 경우는 세가지 요소를 가지면서 조화를 이루는 것이다. 이 경우 여성은 미인이 많고 남성은 머리가 좋은 경우가 많다. 대화도 잘하고 사교적이기도 하다. 건강체이기에 장수자가 많다. 산모가 룽계 식사를 많이 하면, 태아도 룽 체질을 가진다고 말한다.

9. 점화법(點火法)

점화법의 사용은 보통 소화불량을 호소하는 경우에 사용된다. 의사는 우선 환자의 일상생활의 행동과 습관 등을 먼저 진찰하고 나서 식사 요법 등을 지도하고 내복약도 투약한다. 그후에도 효능이 없으면 점화법 치료를 권한다.

* 점화법이 필요한 병세 : 소화불량, 체력저하, 전신부종으로 늑막에 물이 고이는 경우, 치이바가 냉한 경우, 관절에 통증이 오거나 곪았을 때, 골부(骨部), 두부(頭部)의 통증, 환자는 열이

있다고 호소하나 체온은 낮은 경우, 정신분열증과 기타의 정신병 질환 등

* 점화법을 금하는 경우 : 체질이 치이바계로 발열되고 있는 상태, 혈관과 혈액의 질환, 눈, 코, 귀 등의 질환, 남녀의 성기 질환 등(위부에는 공복 때에만 시술한다)

그러나 여기서 참고로 할 것은 티베트의 점성술에서는 점화치료를 금기하는 날이 있다. 필자의 생각으로는 거기에 하등의 관심이 없어서 여기에 소개하지 않는다. 점화치료를 시술하는 데는 기본적인 부위에만 불뜸을 하게 되어 있으나 환자가 통증을 호소하는 부위에다 직접 시술하는 경우도 있다. 그러나 집열(集熱)이 발한 사람에게는 하지 않는다.

우선 환자 쪽에서 아프다고 호소하는 부위를 의사들은 손가락

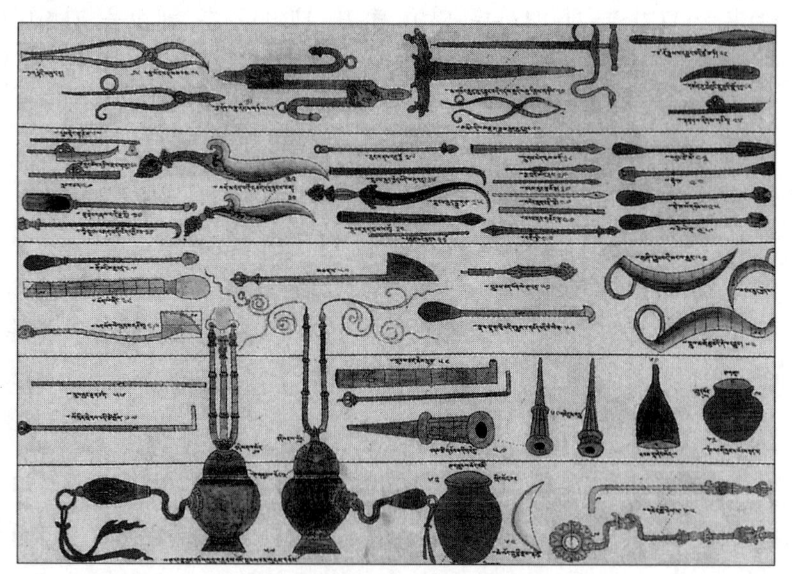

의료기구도(《규씨이》 탕카 제34 그림)

으로 눌러 보고 그 포인트를 찾아 거기에 시술하는 것이다.

기본점인 점화 부위란 허리의 상부, 중부, 하부 주위로 20여개의 기본 부위가 있다.

제1부위 : 목 뒤 상위, 룽계의 병환에 좋은데, 정신질환, 정서불안정, 마음이 산란하여 수면이 어려운 사람, 청각 장애, 목이 굳어서 좌우로 움직이기 어려운 경우

제2부위 : 치이바계, 냉성 질환, 즉 열이 없는 황달의 경우 이 부위에 시술

제3부위 : 빼겐계, 폐(肺)병에 좋은 부위, 발열 환자에게는 적당치 않다.

제4부위 : 폐병 환자에게 좋다. 이 자리는 어머니의 포인트라고 한다.

제5부위 : 이곳 역시 폐병 환자에 효능을 보는 자리이다. 아들의 포인트라고 한다. 제4, 5부위는 폐병환에 효능을 보는 부위지만 발열시에는 피해야 한다. 천식 환자에게 좋은 자리다.

제6부위 : 소구쓰아 포인트, 두뇌의 이상질환, 실어증, 건망증 등에도 좋다.

제7부위 : 심장의 포인트, 병적인 건망증, 불안병, 광적인 발작시에 좋다.

제8부위 : 횡격막(橫隔膜)의 포인트.

제9부위 : 간장의 포인트로 구토와 간병환이 대상이 된다. 냉(冷)해서 일어나는 질병으로 간장이 쇠약해질 때 효과가 좋다. 소화불량시의 구토는 예외.

제10부위 : 담낭의 포인트로 소화불량이나 식욕부진, 황달, 만

성적 두통, 산성의 구토 증세 등

제11부위 : 비장의 포인트로 권태감이 계속되거나 장내에 가스가 찬다든지 아침에 기상하기 힘든 증세.

제12부위 : 위의 포인트. 위의 체열이 약해져서 떨어지거나 빼겐계의 질환으로 위 상부에 통증이 발생할 경우. 주의할 점은 점화법을 사용하는 시술자가 티베트의학에 대한 전반적인 이해가 부족한 경우 위험성이 따른다고 본다. 티베트의학에서는 점화법을 '뜸'이라고 칭하지 않는다.

제13부위 : 정낭(精囊)의 포인트

제14부위 : 신장의 포인트

제15부위 : 심장의 포인트

제16부위 : 대장의 포인트

제17부위 : 소장의 포인트

제18부위 : 방광(膀胱)의 포인트

제19부위 : 여성의 생리와 남성의 경우 정력이 솟아나는 포인트

제20부위 : 룽계의 포인트

이상 20가지의 점화법은 쑥을 이용하지 않는 치료법이다. 주로 금속성인 기구의 끝부분을 가열시킨 다음에 환자의 피부에 접근시키는 것으로 피부를 통해 온열(溫熱)을 몸 안에 전파시키는 시술법이다.

10. 침

이것은 중국 한방에서 말하는 침이다. 쑥뜸을 시술하는 치유

법은 고래부터 있어서 시술에 적용되어 왔으나 침의 사용은 그 후에 생겼다. 침은 금속성 물질 끝을 화열(火熱)에 녹여서 사용하는데, 5종류가 있다고 한다. 끝이 순금으로 만들어진 것(세루대이), 끝이 철로 만들어진 것(챠뿌대이), 끝이 동(銅)으로 만들어진 것, 끝이 은(銀)으로 만들어진 것(모이데이), 또 기타 돌로 만들어진 것 등이다.

기타 녹각(鹿角)을 돌에다가 갈아서 뜨거운 열을 만들어서 피부에 시술하는 법도 있다. 이상 5종류와 기타 전부 13종이 있다.

이것의 사용방법은 금 종류의 경우는 주로 혈압이 높은 사람, 권태증이 심한 사람, 경련이 잘 일어나는 경우, 다리 운동이 곤란한 경우 등인데, 포인트 부위는 상위 경부(頸部) 5번째로 양팔에 시술을 하게 된다.

은을 이용하는 것도 금을 사용할 때와 같다. 동을 사용할 때는 눈의 경련으로 좌우 이마 부위이다. 철은 복부에, 돌은 때로 이마 부위인데, 돌 자체를 불에 넣어 가열하여 사용한다. 이와 같은 것은 금속 고유의 힘을 가열하여 사용하는 것으로 기구가 빨갛게 될 때까지 달군다.

쑥뜸의 경우에는 손가락 굵기만큼 만들어서 뜬다. 회수는 일정치 않다. 증세에 따라 혹 복부에 응어리가 생겼을 경우에는 매일 여러번 하는 것이 좋다. 쑥뜸을 뜨는 부위는 전신에 120부위가 있다.

머리의 침은 금으로 만들어진 것을 사용하는데 침의 길이는 4cm 정도가 좋으며 모름지기 열병 환자는 금하는 것이 좋다. 머리에다가 침을 줄 때는 약 1cm 정도를 삽입한다.

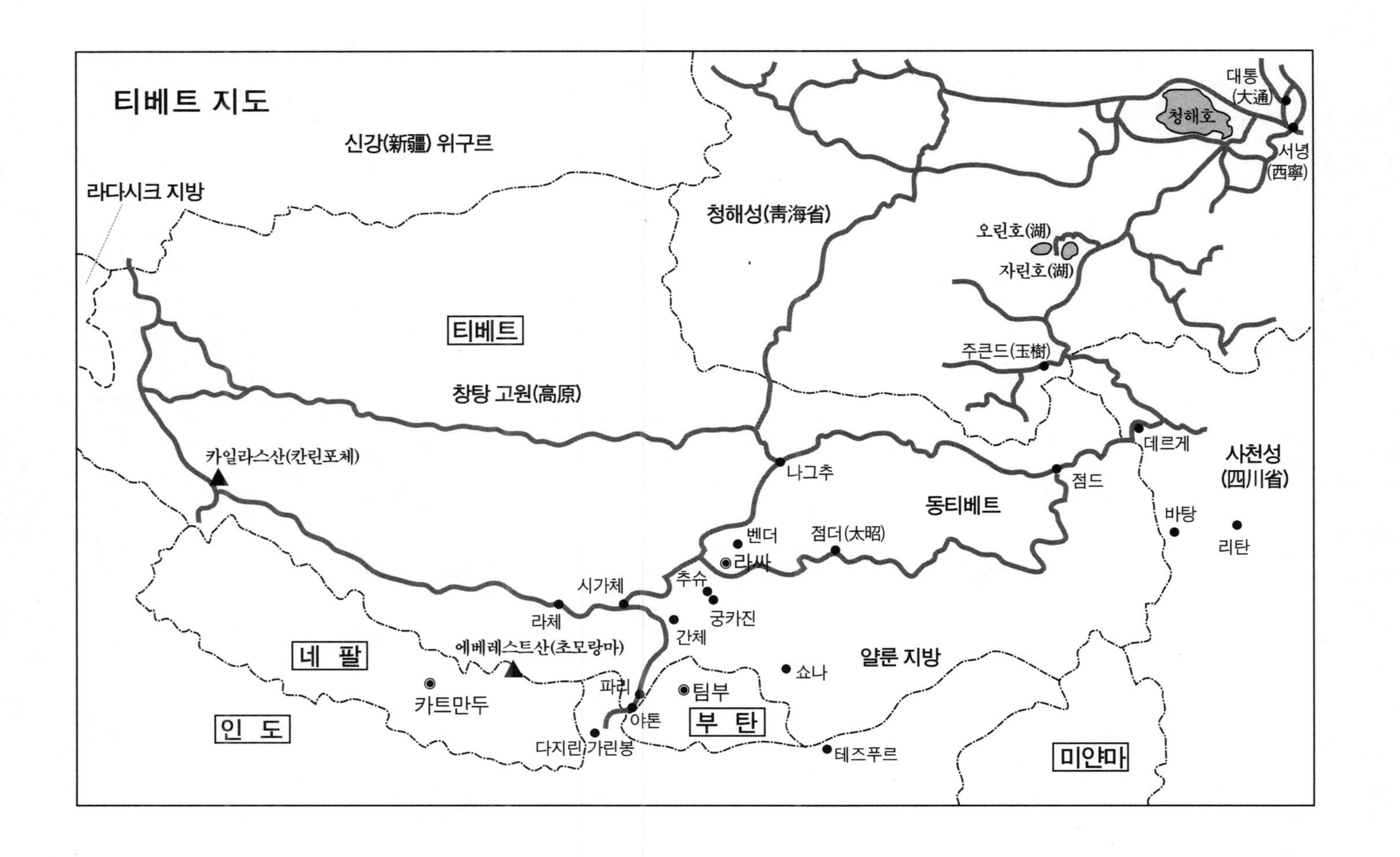

티베트 지도
신강(新疆) 위구르
라다시크 지방
청해성(青海省)
대통
(大通)
청해호
서녕
(西寧)
오린호(湖)
자린호(湖)
티베트
창탕 고원(高原)
주큰드(玉樹)
카일라스산(칸린포체)
나그추
데르게
점드
사천성
(四川省)
동티베트
바탕
리탄
벤더
점더(太昭)
라싸
시가체
추슈
궁카진
라체
간체
에베레스트산(초모랑마)
얄룬 지방
네 팔
쇼나
파리
팀부
카트만두
야툰
부 탄
인 도
다지린
가린봉
테즈푸르
미얀마

티베트의학의 세계

초판 인쇄 – 2008년 4월 25일
초판 발행 – 2008년 4월 30일

저 자 – 山本哲士
역 자 – 방 육

발행자 – 김 동 구
발행처 – 명 문 당(창립1923.10.1)
서울특별시 종로구 안국동 17-8
우체국 010579-01-000682
전화 (영업) 733-3039, 734-4798
(편집) 733-4748
FAX 734-9209
Homepage www.myunmundang.net
E-mail mmdbook1@kornet.net
등록 1977.11.19. 제1-148호

값 12,000원
ISBN 978-89-7270-879-7 93510